GIGASAURIER

DIE RIESEN ARGENTINIENS

IMPRESSUM

GIGASAURIER
DIE RIESEN ARGENTINIENS

3. Juli 2010 bis 9. Januar 2011
SENCKENBERG Naturmuseum
Frankfurt am Main; Mainzer Landstr. Ecke Güterplatz / Nähe Messeturm
www.gigasaurier.senckenberg.de

Ausstellungskonzeption und Ausführung:

in Zusammenarbeit mit den leihgebenden Museen:

ISBN 978-88-904103-0-7

printed in Germany

Das SENCKENBERG Naturmuseum Frankfurt präsentiert die Ausstellung
GIGASAURIER - DIE RIESEN ARGENTINIENS in Zusammenarbeit mit folgenden Institutionen:

CONICET (Nationales Komitee für wissenschaftliche und technische Forschung), Buenos Aires
Senckenberg Gesellschaft für Naturforschung, Frankfurt am Main
Ministerio de Relaciones Exteriores, Comercio International y Culto - Presidencia de la Nación
Museo Argentino de Ciencias Naturales „Bernardino Rivadavia", Buenos Aires
Museo de la Plata, La Plata
Museo Paleontológico "Egidio Feruglio", Trelew
Museo Municipal „Carmen Funes", Plaza Huincul
Museo de Ciencias Naturales de la Universidad Nacional de San Juan, San Juan
Museo Paleontológico de Lamarque, Lamarque
Museo Municipal „Ernesto Bachmann", El Chocón
Cubo - office design, Venedig
expona GmbH, Bozen

Koordinator
Dr. Edgardo Romero
Direktor Museo Argentino de Ciencias Naturales „Bernardino Rivadavia", Buenos Aires

Ausstellungskonzept und Design
Arch. Gustavo Vilariño
Cubo - office design - Venedig

Wissenschaftliches Komitee
Dr. Oscar Alcober
Direktor Museo de Ciencias Naturales de la Universidad Nacional de San Juan, San Juan

Dr. Bernd Herkner
Museumsleiter Senckenberg Naturmuseum, Frankfurt am Main

Dr. Carina Colombi
Wissenschaftliche Mitarbeiterin des CONICET und des Museo de Ciencias Naturales de la Universidad Nacional de San Juan, San Juan

Dr. Diego Pol
Wissenschaftlicher Mitarbeiter des Museo Paleontológico „Egidio Feruglio", Trelew

Lic. Ignacio Escapa
Wissenschaftlicher Mitarbeiter des CONICET und des Museo Paleontológico „Egidio Feruglio", Trelew

Dr. Alejandro Kramarz,
Abteilungsleiter Paläontologie der Wirbeltiere des Museo Argentino de Ciencias Naturales „Bernardino Rivadavia", Buenos Aires
Dr. Ricardo Martínez
Wissenschaftlicher Mitarbeiter des Museo de Ciencias Naturales de la Universidad Nacional de San Juan, San Juan

Didaktischer Bereich
Dr. Claudia Tambussi, Guillermo López und Javier Gelfo -Vermittlungsabteilung des Museo de la Plata, Universität La Plata, La Plata

Ausstellungskoordination
Dr. Alex Susanna
expona GmbH - Bozen

VORBEREITUNG UND ORGANISATION DER AUSSTELLUNG IN FRANKFURT AM MAIN

SENCKENBERG Gesellschaft für Naturforschung
SENCKENBERG Naturmuseum

Generaldirektor
Prof. Dr. Dr. h. c. Volker Mosbrugger

Museumsleiter
Dr. Bernd Herkner

Projektleitung GigaSaurier
Dr. Bernd Herkner
Dr. Thorolf Hardt

Projektpartner
Wolf Urban, Ralf Berninger

Marketing / Öffentlichkeitsarbeit
Wolf Urban, Esther Krepp (Urban Vision Concepts GmbH & Co. KG)
Martin Jung, Peter Hardtmann (Jung, Hardtmann & Freunde)
Patricia Germandi, Andrea Preis (Senckenberg)

Ausstellungsführungen, Museumspädagogik
Dr. Tobias Nettke, Dr. Albrecht Pfrommer

Technische Leitung
Ralf Berninger, Bernd Lukas

Techniker
Udo Becker, Hildegard Enting, Frank Furrer, Dieter Köhler, Ferit Senal, Rolf Spitz, Sven Tränkner, Olaf Vogel, Anja Watjer, Ingo Watjer

PRODUKTION

Projektmanager
Camilla Seibezzi, Arch. Mateo Eiletz

Projektverantwortliche Buenos Aires
Julia Masvernat

Wissenschaftliche Betreuung
Federico Geller, Sebastián Preliasco

Machbarkeitsstudie
Dr. Angela Colonna

Technische Betreuung, Multimedia / Audio
Olang, Italien

Aufbaukoordination
Arch. Mateo Eiletz
Ralf Berninger
Bernd Lukas

Grafische Gestaltung
Arch. Gustavo Vilariño

Grafische Umsetzung
Cecilia Szalkowicz, Gastón Pérsico, Magdalena de Iriondo, Vanina Scolavino

Paläokünstler
Jorge González, Buenos Aires

EMBRYO INSTALLATION

Konzept
Julia Masvernat,
Federico Geller - Sebastián Preliasco

Bildmaterial
Joni Benjumea

Animationsdesign
Julia Masvernat

INTERAKTIVE VIDEOINSTALLATION

Konzept
Proyecto Biopus
(Emiliano Causa, Tarcisio Lucas Pirotta, Matías Romero Costas) -
Julia Masvernat, Sebastián Preliasco und Federico Geller

Software
Grupo Proyecto Biopus
(Emiliano Causa, Tarcisio Lucas Pirotta, Matías Romero Costas)

Bildmaterial
Ezequiel García

Audioeffekte
Fernando Boto

Interfase und Animationsdesign
Julia Masvernat - "Mate con menta"
(Violeta Gau und
Andrés Velázquez)

ANIMATION DER LANDSCHAFTEN UND REKONSTRUKTIONEN

Konzept
Julia Masvernat, Federico Geller und
Sebastián Preliasco

Fotomaterial
Ariel Ludin (Trias und Kreide)
Sebastián Preliasco (Jura)

Paläokünstler
Jorge González

Interfase und Animationsdesign
Julia Masvernat - "Mate con menta"
(Violeta Gau und
Andrés Velázquez)

VIDEOS DER ARGENTINISCHEN PARKS UND MUSEEN

Produktionsverantwortlicher
Roberto Barandalla

Kameramann
Eduardo Yedlin

Edition
Ninón Cottet und Mariana Leonhard

INSTALLATION DER DINOSAURIEREIER

Soundgestaltung
Gerardo Kamal

Kurator Museografie
Dr. Oscar Alcober
Direktor Museo de Ciencias Naturales de la Universidad Nacional de San Juan, San Juan

TECHNISCHES PERSONAL DER MUSEEN

Museo de Ciencias Naturales de la Universidad Nacional de San Juan:

Lebendrekonstruktionen
Facundo Gonzales und
Guillermo Heredia

Abgüsse (Skelettrekonstruktionen)
Raúl Gordillo

Abgüsse (Koloration)
Juan Carlos Martínez

Aufbau Skelette
Darío Arce, Abel Martínez, Sergio Aballay

Supervision
Claudia Díaz

Museo Argentino de Ciencias Naturales „Bernardino Rivadavia":

Abgüsse (Skelettrekonstruktionen)
Maximiliano Iberlucea und
Fernando Chavez.

Museo de La Plata:

Abgüsse (Skelettrekonstruktionen)
Darío Fernández

Museo Municipal „Carmen Funes":

Supervision
Adrian Garrido

Mitarbeiter
Jorge Campos, Alfredo Geréz, Eduardo Montes, Ernesto Valenzuela, Raúl Navarro, Isaía Soto, Dante, Biazetti, Sebastián Gonzalez

Museo Municipal „Ernesto Bachmann":

Supervision
Dr. Alejandro Haluza

Mitarbeiter
Christian Hector Albornoz,
Gloria Argentina Gonzalez, Rogelio Zapata, Andres Moretti, Mara Ripoll, David Aguilar, Soledad Olmedo, Rosa Alicia Bravo, Marta Soto

Museo „Egidio Feruglio":

Supervision
Raul Vacca

Mitarbeiter
José Carballido, Diego Evans, Rosario Romero, Walter Mora, Maximo Delloca, Gerardo Delloca, Parry Sebastian Perez, Alejandro Vacca, Nicolas Martin

WEITERE PARTNER

Grafik und Werbelayout
Peter & Thomas Hardtmann; Jung, Hardtmann & Freunde, Frankfurt am Main

Marketing / Öffentlichkeitsarbeit
Urban Vision Concepts GmbH & Co. KG, Hofheim
PR-Agentur Jung, Hardtmann & Freunde, Frankfurt am Main

Pressebüro Buenos Aires
Patricia Chaina, Maria Laura Guembe, Emilio Villarino

Ausstellungsbau
SENCKENBERG; fairconstruction, Messe Frankfurt

Planung Zelthalle
fairconstruction, Messe Frankfurt
NEPTUNUS B. V., Kessel, Niederlande

Statik Zelthalle
NEPTUNUS B. V., Kessel, Niederlande

Elektroplanung, Licht und Ton
Streiff Baulogistik Frankfurt; Senckenberg Naturmuseum
Irrlicht GmbH, Oberursel

KATALOG

Kurator
Dr. Oscar Alcober
Direktor Museo de Ciencias Naturales de la Universidad Nacional de San Juan, San Juan

Autoren
Dr. Oscar Alcober
Direktor Museo de Ciencias Naturales de la Universidad Nacional de San Juan, San Juan

Dr. Bernd Herkner
Museumsleiter Naturmuseum Senckenberg, Frankfurt am Main

Dr. Diego Pol
Wissenschaftlicher Mitarbeiter CONICET und des Museo Paleontológico „Egidio Feruglio", Trelew

Dr. Ricardo Martínez
Wissenschaftlicher Mitarbeiter des Museo de Ciencias Naturales de la Universidad Nacional de San Juan, San Juan

Dr. Carina Colombi
Wissenschaftliche Mitarbeiterin des CONI-CET und des Museo de Ciencias Naturales de la Universidad Nacional de San Juan, San Juan

Lic. Ignacio Escapa
Wissenschaftlicher Mitarbeiter des CONICET und des Museo Paleontológico „Egidio Feruglio", Trelew

Übersetzung und Edition
Dr. Ilona Hauser, Frankfurt am Main und Dr. Bernd Herkner, Senckenberg Forschungsinstitut und Naturmuseum, Frankfurt am Main

Grafische Gestaltung
Cecilia Szalkowicz und Gastón Pérsico

Covergestaltung
Peter Hardtmann

Fotomaterial
Ariel Ludin
Iván Zabrodski (Seiten 15, 20, 32, 33, 34, 35, 36, 62, 71, 75, 143, 144-145) - Archive Museo Nacional de la Universidad de San Juan, Archive Museo Argentino de Ciencias Naturales und Archive Museo de La Plata (Seiten 45, 46, 47) - Dr. Rainer Schoch, Staatliches Museum für Naturkunde, Stuttgart (Seite 61) - Lic. Ignacio Escapa (Seiten 72, 75, 76, 78, 79, 80) - Dra Colombi (Seiten 64, 65) - Dr. Gustavo Vilariño (Seite 92) - Dr. Oscar Alcober (Seite 67) - Pablo Puerta (Seite 91)

Paläokünstler
Jorge González, Buenos Aires

Bildnachweis
The Book of Life, Stephen Jay Gould General editor, New York: W. W. Norton (Seiten 17, 19, 21) - The Mistaken Extinction: Dinosaur Evolution and the Origin of Birds, by Lowell Dingus and Timothy Rowe, W. H. Freeman & Company, New York, 1998 (Seiten 25, 28) - Dr. Ron Blakey (Seiten 60, 74, 86)

Lektorat
Thomas Hammann, Frankfurt am Main
Dr. Thorolf Hardt, Saulheim
Astrid Meerkötter, Rosenheim

Herausgeber
Cubo Srl, Venedig

GIGASAURIER

DIE RIESEN ARGENTINIENS

INHALT

GRUSSWORT

Roland Koch
Ministerpräsident des Landes Hessen

Die Sonderausstellungen des Naturmuseums Senckenberg entwickeln sich zu einem festen Bestandteil des kulturellen Angebots Frankfurts - und zu einem Publikumsmagneten weit über die Region hinaus. Nach der „Tiefsee" und der „Safari zum Urmenschen" ist dies die dritte große Senckenberg-Sonderausstellung - wobei „groß" in diesem Fall eine besondere Bedeutung hat. Tatsächlich sind einige der Exponate mit diesem Adjektiv nur unzureichend beschrieben: Sie sind wahrlich gigantisch, wie es der Untertitel der Ausstellung, Die Riesen Argentiniens, bereits ankündigt. Der Argentinosaurus mit fast 40 Metern Länge und einer Schulterhöhe von 8 Metern strapaziert die Vorstellungskraft, wenn man überlegt, dass dieser Koloss einst über unsere Erde wandelte. Und der riesige Fleischfresser Giganotosaurus mit seinem fast zwei Meter langen Schädel lässt heutige Raubtiere zwergenhaft erscheinen - und den Betrachter erschauern.

„Groß" ist diese Ausstellung auch deshalb, weil die nicht eben kleinen Senckenberg-Gebäude für diese Ausstellung nicht ausreichen. Deshalb weicht man mit einer mobilen Zelthalle auf einen zentral gelegenen Standort in der Mainzer Landstraße aus - und schafft quasi en passant ein neues Ausstellungskonzept, das der Kreativität bei der Ausstellungsplanung noch mehr Möglichkeiten einräumt.

Die Ausstellung kann jedoch weit mehr, als mit Superlativen aufzuwarten. Sie trägt die deutliche Handschrift Senckenbergs, indem sie - attraktiv verpackt - ein Verständnis für Ergebnisse moderner Naturforschung in leicht verständlicher Form vermittelt. Im Zentrum steht hier die Evolution: Die Entwicklung der argentinischen Saurier durch das komplette Erdmittelalter wird nachgezeichnet, d.h. von den ersten Formen, die vor ca. 240 Millionen Jahren auftauchten, bis zum Aussterben der Dinosaurier vor ca. 65 Millionen Jahren.

Insgesamt werden 24 Dinosaurier als Skelett oder lebensnahe Rekonstruktion ausgestellt. Zu bestaunen sind in der Ausstellung zahlreiche wertvolle Originale, darunter Dinosaurier-

Eier, ein Sauropoden-Embryo sowie Landschaftsbilder von den Fundorten in Argentinien. Als weiterer Höhepunkt wird der erst kürzlich beschriebene Panphagia protos – das lang gesuchte Bindeglied zwischen Pflanzen- und Fleischfressern – vorgestellt.

Ermöglicht wurde die Ausstellung durch den großen Einsatz von Dr. Edgardo Romero, dem Direktor des Museo Argentino de Ciencias Naturales „Bernadino Rivadavia" in Buenos Aires. Ihm ist es gelungen, die führenden paläontologischen Museen Argentiniens für ein gemeinsames Ausstellungsprojekt zu begeistern, dem von der Regierung Argentiniens das Qualitätssiegel „Marca Pais" für außerordentliche Kulturprojekte vergeben wurde. Besonderer Dank gilt den leihgebenden Museen für die vertrauensvolle Überlassung ihrer wertvollen Funde. Wissenschaftlich begleitet wurde das Projekt natürlich von Senckenberg, voran der Frankfurter Museumsdirektor Dr. Bernd Herkner.

Ich wünsche der Ausstellung großen Erfolg und Ihnen, liebe Leser und Besucher, spannende Stunden mit den „GigaSauriern".

Ihr

Roland Koch

EINLEITUNG

Dr. Edgardo Romero
Direktor Museo Argentino de Ciencias Naturales

Für mich als Direktor und Vertreter des Museums für Naturwissenschaften in Buenos Aires ist es eine große Ehre, die Ausstellung „DINOSAURIER - GIGANTEN ARGENTINIENS" dem deutschen - und somit auch dem europäischen Publikum - zu präsentieren. Es handelt sich ohne Zweifel um eine besondere Ausstellung, die vom Nationalen Komitee für wissenschafts- und technische Forschung (CONICET) in Buenos Aires, als Stellvertreter für sieben Naturwissenschaftliche Museen, organisiert wurde. Die Ausstellung zeigt die außergewöhnlichsten und - aus wissenschaftlicher Sicht - bedeutendsten Exemplare, die seit rund einem Jahrhundert in unserem Land untersucht werden. Das besondere dabei ist, dass in der Ausstellung die gesamte Evolutionsgeschichte der Dinosaurier, von den ersten Formen bis hin zu ihrem Aussterben, dargestellt wird. Begleitet von einem rigorosen wissenschaftlichen Konzept, werden Funde aus den drei Zeitepochen Trias, Jura und Kreide ausgestellt, wobei die Bandbreite vom kompletten Skelett des kleinsten Vorgängers der Dinosaurier, dem *Lagosuchus* (232 Mio. Jahre) aus dem „Tal des Mondes" in Nord-West Argentinien, bis zum jüngeren *Carnotaurus* (70 Mio. Jahre) reicht, der in Zentralpatagonien gefunden wurde.

Zu sehen ist der größte Dinosaurier der Welt, der Pflanzenfresser *Argentinosaurus*, aber auch der größte fleischfressende Dinosaurier der je gelebt hat, der *Giganotosaurus*. Die meisten der Exemplare sind noch nie außerhalb Argentiniens gezeigt worden, wobei viele von ihnen überhaupt noch nie ausgestellt wurden.

Der guten Zusammenarbeit der verschiedenen leihgebenden Museen ist es zu verdanken, dass diese Schau der argentinischen Paläontologie realisiert werden konnte. Um diese Ausstellung zu ermöglichen, haben die Museen ihre wertvollsten Exponate zur Verfügung gestellt. Ohne Zweifel kann sie aus diesem Grund auch als die bedeutendste und umfassendste Ausstellung über Dinosaurier aus Argentinien bezeichnet werden.

Argentinien besitzt eine lange Tradition im Bereich der paläontologischen Forschung. Sie reicht von der Kolonialzeit, über das 18. und 19. Jahrhundert, als mit dem Wirken von Florentino Ameghino ein erster Höhepunkt erreicht wurde. Der aus dem deutschen Halle stammende Dr. German Burmeister, der von 1862 bis 1892 Direktor des Museums in

Buenos Aires war, kann mit Sicherheit zu den bedeutendsten Paläontologen unseres Landes gezählt werden.

In den vergangenen Jahren hat sich in Argentinien eine sehr aktive Gruppe von Paläontologen herauskristallisiert. Diesen Wissenschaftlern ist es gerade in letzter Zeit gelungen, wichtige Funde zu machen. Ihre Untersuchungsergebnisse sind in bekannten internationalen Fachzeitschriften veröffentlicht worden. Einige Exemplare, die in der Ausstellung zu sehen sind, wurden erst vor kurzem beschrieben und die Ergebnisse der Erforschung sind erst in den Jahren 2008 und 2009 veröffentlicht worden.

Ich bin sehr erfreut darüber, dass diese europäische Ausstellungstour in Deutschland beginnt, in einem Land, wo die Öffentlichkeit bekanntlich ein hohes Interesse für wissenschaftliche und kulturelle Veranstaltungen zeigt.

Die Umsetzung dieses Vorhabens war für alle Beteiligten mit großem Arbeitsaufwand verbunden, daher möchte ich allen meine Dankbarkeit aussprechen. Ein besonderer Dank geht an die Verantwortlichen der leihgebenden Museen sowie den Mitarbeitern und der Präsidentin des CONICET, Frau Dr. Marta Graciela Rovira. Dem Kurator, Dr. Oscar Alcober ist es gelungen, nicht nur die unterschiedlichen Funde auf effiziente Weise zusammenzuführen, sondern auch die Menschen. Ein besonderer Dank geht auch an den Gestalter der Ausstellung, Architekt Dr. Gustavo Vilarino, der die Idee zu dieser Ausstellung von Beginn an vorangetrieben hat. Auch den Technikern der jeweiligen Museen gebührt Anerkennung für ihre wertvolle Arbeit bei der Restaurierung und teilweise Neuproduktion der Leihgaben.

Ich sehe diese Ausstellung als wertvolle Chance für einen wissenschaftlichen und kulturellen Austausch zwischen Argentinien und den deutschen Institutionen. Aber auch als wichtige Plattform, um die Arbeit der argentinischen Wissenschafter, Sammler, Techniker, Kulturvermittler und Künstler sichtbar zu machen, die seit einigen Jahren an diesem Ausstellungsprojekt arbeiten. Wir hoffen, dass die Ausstellung auch als wissenschaftliches Abenteuer gesehen wird, das vielleicht dazu beiträgt, das Interesse für unser Land zu wecken.

GELEITWORT

Volker Mosbrugger
Generaldirektor
Senckenberg Gesellschaft für Naturforschung

Dinosaurier faszinieren – es sind spektakuläre Lebewesen, die uns mit einer großen Vielfalt, mit bizarren Gestalten und zum Teil riesigen Formen überliefert sind, und die dennoch, trotz ihrer Vielfalt und Größe, vor etwa 65 Millionen Jahren ausstarben. Die Vorstellung, dass diese Kolosse von manchmal über 80 t Lebendgewicht auf unserer Erde lebten und zwar zu einer Zeit, als es uns Menschen noch gar nicht gab, weckt Phantasien und beeindruckt gleichermaßen. Dinosaurier sind in der Tat gewaltige Zeugen einer vergangenen Welt, die kein Mensch je erleben oder erfahren konnte. Für uns erscheinen daher die „Schrecklichen Echsen", die einst real existierten, so exotisch wie die reinen Hollywood-Phantasieprodukte der Marsianer.

Dinosaurier sollten aber nicht nur als attraktive Kuriositäten abgetan werden. Sie besitzen auch größten wissenschaftlichen Wert, denn sie belegen den Prozess der Evolution. Sie zeigen, wie im Prinzip sehr einfache Evolutionsmechanismen aus unspezialisierten Kriechtier-Ahnen immer komplexere, hoch angepasste Dinosaurierformen entstehen lassen. Und keine andere Tier- oder Pflanzengruppe kann so sinnfällig deutlich machen, dass Evolution nicht nur Entstehung von Neuem, sondern immer auch Aussterben von Altbewährtem bedeutet: ohne ein Aussterben der Dinosaurier hätten die Säugetiere wohl nie diese Blüte erreicht, der wir Menschen auch unsere eigene Existenz verdanken.

Argentinien ist ein wundervolles Land, ausgestattet mit einer reichen Naturschönheit, aber auch mit einem besonderen Reichtum an einmaligen Fossilien, nicht zuletzt von Dinosauriern. Nach jahrzehntelangen Ausgrabungen und wissenschaftlichen Bearbeitungen von Dinosaurier-Fundstätten in Argentinien werden die Highlights dieser Forschungen erstmalig der Allgemeinheit in Deutschland zugänglich gemacht. Die Ausstellung zeigt insgesamt 23 verschiedene Dinosaurierarten, außerdem Eier, einige davon mit Skeletten von Embryonen, sowie Fußspuren und Hautabdrücke. Noch nie wurden so viele Dinosaurier der Südhalbkugel in einer Schau vereinigt – jedes Kind kann heute die wichtigsten Dinosaurier-Formen der Nordhalbkugel aufzählen, doch wer kennt schon die Dinosaurier der Südhemisphäre? Gerade sie aber halten wichtige Rekorde: So zeigt die Ausstellung den weltweit größten pflanzenfressenden Dinosaurier, den größten Fleischfresser und die ältesten Dinosaurier der Welt!

Angesichts dieser Attraktivität und Rekorde hat sich das Senckenberg Naturmuseum in Frankfurt sehr gerne mit seiner wissenschaftlichen und museumsdidaktischen Expertise an der Erstellung und Umsetzung der Ausstellung „DINOSAURIER – GIGANTEN ARGENTINIENS" beteiligt. Tatsächlich zeigt unser Frankfurter Museum in seiner Dauerausstellung ebenfalls etwa 20 Dinosaurierexponate aus allen Hauptgruppen und aus den drei Zeitepochen des Erdmittelalters, darunter weltweit einzigartige und spektakuläre Stücke – alle Dinosaurier-Exponate im Senckenberg Naturmuseum stammen allerdings von der Nordhalbkugel. So war es für unseren Museumsleiter und Dinosaurier-Spezialisten Dr. Bernd Herkner eine besondere Herausforderung, aber auch besonders reizvoll, die Ausstellung „GIGASAURIER – DIE RIESEN ARGENTINIENS" und den dazu gehörenden Katalog wissenschaftlich zu begleiten.

Der vorliegende Katalog zeigt es: Die Ausstellung ist einmalig! Die erfolgreiche Realisierung verdanken wir einer gelungenen Kooperation zwischen vielen Partnern. Unter der Federführung von Dr. Edgardo Romero vom MUSEO ARGENTINO DE CIENCIAS NATURALES „BERNARDINO RIVADAVIA" in Buenos Aires arbeiteten sieben namhafte argentinische Naturmuseen mit ihren Wissenschaftlern zusammen. Die Regierung Argentiniens verlieh dem Projekt das Qualitätsmerkmal für außerordentliche Kulturprojekte, das argentinische Nationale Komitee für Wissenschaft und Technik (CONICET) ist wissenschaftlicher Partner der Ausstellung in Argentinien und stellt die Exponate aus den wichtigsten Naturkundemuseen Argentiniens zur Verfügung, wissenschaftlicher Partner in Deutschland ist das Senckenberg Forschungsinstitut und Naturmuseum in Frankfurt. Entwickelt und umgesetzt wurde das Ausstellungskonzept schließlich mit den professionellen Ausstellungsfirmen expona (Bozen) und Cubo (Venedig) und nicht zuletzt mit dem Team des Senckenberg Naturmuseums in Frankfurt. Ihnen allen gilt unser besonderer Dank für eine beispielhafte Zusammenarbeit über viele nationale Grenzen hinweg.

Lassen Sie sich also von der Ausstellung „GIGASAURIER – DIE RIESEN ARGENTINIENS" und dem dazu gehörenden Katalog faszinieren und in die fremden Welten der „Schrecklichen Echsen" entführen – es lohnt sich!

1.

DIE ENTWICKLUNGSGESCHICHTE DES LEBENS

Bevor das Zeitalter der Dinosaurier beginnen konnte, bedurfte es einer Folge von erdgeschichtlichen Ereignissen: In deren Verlauf entstanden bestimmte Tiergruppen, aus denen sich im evolutionären Prozess die Dinosaurier entwickeln konnten.

Wahrscheinlich benötigte die Evolution Tausende oder sogar Millionen von Versuchen, bevor sich die erste Zelle entwickelte, die fähig war, sich selbst zu reproduzieren. Man geht davon aus, dass dies vor mehr als drei Milliarden Jahren im Meer geschah. Seitdem entwickelte sich das Leben in einem kontinuierlichen Prozess von Veränderungen, die Millionen von Tier- und Pflanzenarten hervorbrachten. Fossile Zeugnisse aus der Anfangsphase dieser Entwicklungsgeschichte sind extrem selten. Erst in einer Zeitepoche, die 600 Millionen Jahre zurück liegt, wird der Fossilbericht etwas reichhaltiger - und nimmt schließlich so weit zu, dass er eine Rekonstruktion der Entwicklungsgeschichte erlaubt.

In diesem Kapitel wird versucht, die Evolution der Landwirbeltiere bis zum Erscheinen der Dinosaurier nachzuzeichnen. Auf diese Weise wird eine Vorstellung von den Vorfahren und den Umweltbedingungen vermittelt, die bei ihrer Entstehung vor 230 Millionen Jahren vorlagen. Aus diesem Zusammenhang werden die Entstehung und der spätere Erfolg der Dinosaurier besser verständlich. Die Wirbeltiere stellen zwar weder in ihrer Individuen-, noch in ihrer Artenzahl die häufigste Tiergruppe dar, doch sind sie für uns Menschen von besonderem Interesse, weil wir selbst zu den Wirbeltieren gehören.

Herrerasaurus ist einer der ältesten und ursprünglichsten Dinosaurier, die bisher bekannt sind. Sein Hals war noch nicht S-förmig gebogen wie bei den späteren Raubsauriern und seine Arme waren bei weitem noch nicht so kurz wie bei diesen.

GEGENÜBERLIEGENDE SEITE Kopf eines lebensechten Modells des furchterregenden Dinosauriers *Frenguellisaurus*, der vor 223 Millionen Jahren im westlichen Argentinien lebte.

Eines der ersten Landwirbeltiere war *Ichthyostega*. Dieses Tier lebte im Devon und stellt eine Zwischenform zwischen Fischen und Landwirbeltieren dar. *Ichthyostega* besaß Lungen und Gliedmaßen, die es ihm ermöglichten, sich durch flaches Wasser zu bewegen.

DIE EROBERUNG DES LANDES

Zu den Landwirbeltieren zählen Amphibien, Reptilien, Vögel und Säugetiere. Aber nicht alle Landwirbeltiere leben auch wirklich an Land. Einige halten sich regelmäßig im Wasser auf, andere, wie die Meeresschildkröten, kommen nur zur Eiablage an Land und wieder andere leben sogar ununterbrochen im Wasser, wie Wale und Delphine. Zu den Landwirbeltieren gehören auch ausgestorbene Tiergruppen, darunter die Dinosaurier und fremdartig wirkende Reptilien wie das mit einem Rückensegel ausgestattete *Dimetrodon*, oder Meeresreptilien, wie Plesiosaurier, Ichthyosaurier und Mosasaurier. Obwohl alle Landwirbeltiere letztlich von vierbeinigen Vorfahren abstammen, haben einige, beispielsweise Wale und Schlangen, ihre Extremitäten gänzlich verloren.

Gegen Ende der Zeitepoche des Devon stiegen vor rund 365 Millionen Jahren die ersten Landwirbeltiere aus dem Wasser. Sie besaßen bereits vier Beine, die sich evolutionär aus Flossen entwickelten hatten. Bei den Vorläufern dieser Vierbeiner (Tetrapoden) handelt es sich um Fische, bei denen der Kopf und der Körper wie bei heutigen Salamandern abgeflacht war. Anstelle von Beinen besaßen sie jedoch noch zwei Paar Flossen, die allerdings mit einer kräftigen Muskulatur ausgestattet waren, und eine interne Knochenstruktur

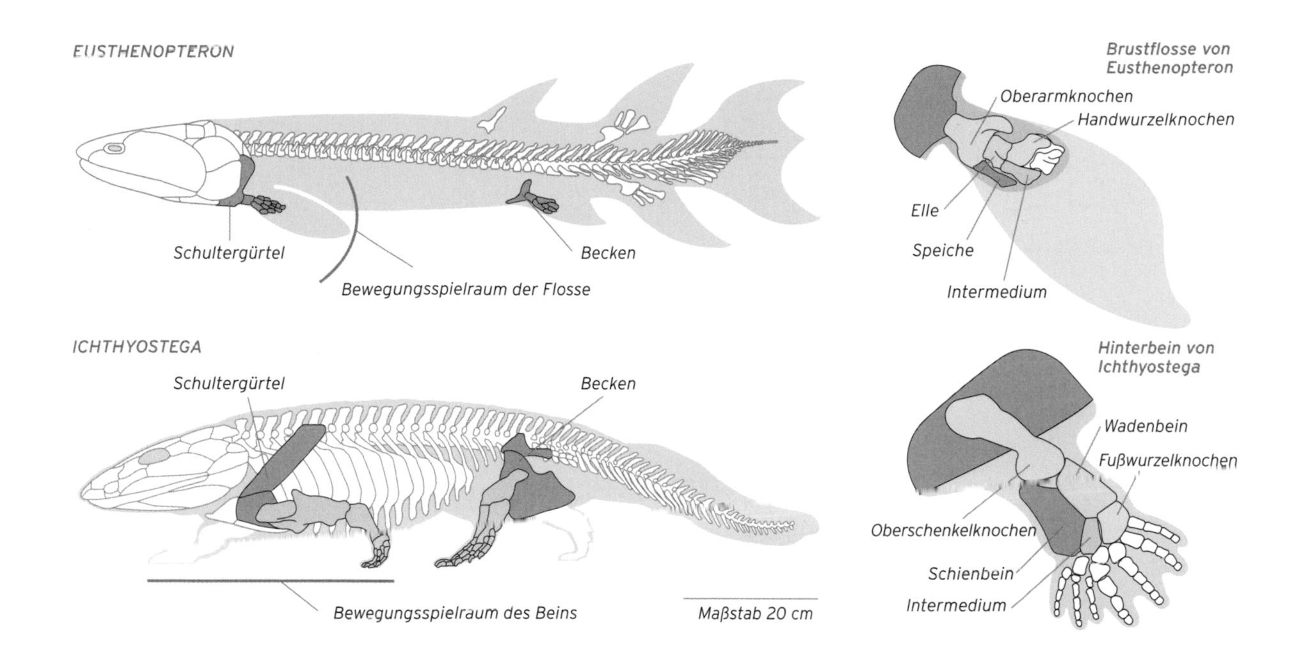

EVOLUTION DER GLIEDMASSEN DER LANDWIRBELTIERE. Die Gliedmaßen der Landwirbeltiere haben sich evolutionär aus den Flossen ihrer Fischvorfahren entwickelt. Ein Vergleich zwischen dem urzeitlichen Fisch *Eusthenopteron* und dem frühen Landwirbeltier *Ichthyostega* zeigt deutliche Gemeinsamkeiten im Aufbau des Extremitätenskeletts. *Eusthenopteron* besaß sehr wahrscheinlich Lungen, war aber aufgrund seiner kurzen Flossen nicht in der Lage an Land zu gehen. Bei *Ichthyostega* waren dagegen die Extremitäten bereits gut entwickelt. Sein Schwanz hatte aber noch einen Flossensaum. Ein versteinerter Schädel des nahe mit *Ichthyostega* verwandten *Acanthostega* weist sogar noch Kiemenbögen wie bei einem Fisch auf.

aufwiesen, die der von Landwirbeltieren ähnlich ist. Der bekannteste Vertreter dieser ausgestorbenen Fischgruppe ist der erst vor einigen Jahren entdeckte *Tiktaalik*, von dem inzwischen zahlreiche fossile Exemplare gefunden wurden. Obwohl die ersten Landwirbeltiere bereits Beine hatten, waren sie immer noch mit Kiemen ausgestattet, wie sie bei Fischen vorkommen. Bei einem Exemplar dieser ursprünglichen Landwirbeltiere der Gattung *Acanthostega* sind knöcherne Kiemenbögen fossil überliefert. Das Leben der ersten Vierbeiner war offenbar noch stark ans Wasser gebunden und Landausflüge konnten vermutlich nicht sehr lange erfolgen. Viele Millionen Jahre später hatte sich dann im oberen Unterkarbon, vor etwa 335 Millionen Jahren, eine große Vielfalt an Formen entwickelt. Einige blieben im Wasser, andere lebten mehr oder weniger amphibisch und wieder andere waren bereits weitgehend vom Lebensraum Wasser unabhängig. Aber auch unter Letzteren waren nahezu alle in einem wesentlichen Punkt an aquatische Lebensräume gebunden: Denn die Eiablage, die Befruchtung sowie die erste Lebensphase als Larve konnten nur im Wasser erfolgen.

VOM WASSER BEFREIT

Im unteren Oberkarbon vor etwa 315 Millionen Jahren begann sich eine Tiergruppe zu entwickeln, die sich schließlich gänzlich unabhängig von aquatischen Lebensräumen machte: die Reptilien. Ihr Körper war mit

Der nur 40 cm lange *Petrolacosaurus* lebte vor 300 Millionen Jahren im Oberkarbon und zählt zu den ältesten Reptilien, die bisher bekannt sind. Er ernährte sich vermutlich hauptsächlich von Insekten.

Es wird angenommen, dass sich frühe Landwirbeltiere aus einer Abstammungslinie von Fischen entwickelten, die Lungen besaßen. Die Fähigkeit atmosphärische Luft zu atmen war somit sehr wahrscheinlich bereits vollständig entwickelt, bevor Landwirbeltiere erstmals trockenen Boden betraten.

Hornschuppen bedeckt, die sie vor Austrocknung schützten. Die entscheidende Neuentwicklung dieser Tiergruppe bestand aber darin, dass sie sich außerhalb des Wassers fortpflanzen konnte. Anders als bei den gallertigen Eiern der Amphibien waren die der Reptilien von einer schützenden Schale umgeben und mit einem großen Dotter ausgestattet, der während der gesamten Reifezeit als Nahrungsquelle diente. Die vor Austrocknung schützende Schale konnte sich allerdings erst dann entwikkeln, als die Befruchtung intern, also nicht mehr im Wasser und außerhalb des Körpers, stattfand. Die evolutionäre Entwicklung des neuen Eityps erlaubte den Reptilien einen Lebenszyklus der vollständig an Land vollzogen werden konnte. Diese Errungenschaft ermöglichte es ihnen, sich in die unterschiedlichsten Lebensräume bis hin zu Trockengebieten auszubreiten. Es mag zunächst verwundern, dass aus der Zeit der ersten Reptilien keine Reste fossiler Eier bekannt sind, zumal solche Erhaltungen in späteren Zeitepochen, etwa in der Jura- und Kreidezeit, durchaus häufig sind. Dies lässt sich dadurch erklären, dass diese Eier, wie bei den meisten der heute lebenden Reptilien, mit einer relativ dünnen, pergamentartigen Schale ausgestattet waren, was eine Fossilisation äußerst unwahrscheinlich macht. Bei den fossilisierten Eierschalen aus der Jura- und Kreidezeit handelt es sich dagegen um Reste von Dinosauriereiern, die generell eine dicke Kalkschale aufweisen, wie sie heute bei Vögeln, Krokodilen, zahlreichen Schildköten und einigen wenigen Echsen vorhanden ist. Da dieser Eierschalentyp günstige Voraussetzungen für eine Fossilisation bietet, konnten seine versteinerten Überreste häufiger erhalten bleiben. Dies lässt darauf schließen, dass sich Eier mit einer Kalkschale frühestens vor etwa 230 Millionen Jahren in der oberen Trias oder etwas später im unteren Jura entwickelt haben, also zu einer Zeit als die Dinosaurier in der Erdgeschichte auftraten.

REPTILIEN UND DIE EVOLUTION DES EIES Das Reptilienei ist gegenüber Austrocknung durch eine Schale geschützt. Der Embryo befindet sich in einer eigenen Flüssigkeitskammer, die von einer Hülle, dem Amnion, umgeben ist. Die Allantois bildet eine Art Sack und dient dem Gasaustauch und der Entsorgung von Abfallstoffen. Alles zusammen umschließt die Chorionhülle. Dieser sogenannte amniotische Eityp ermöglichte erstmals in der Erdgeschichte einen Lebenszyklus, der vollständig an Land stattfinden konnte.

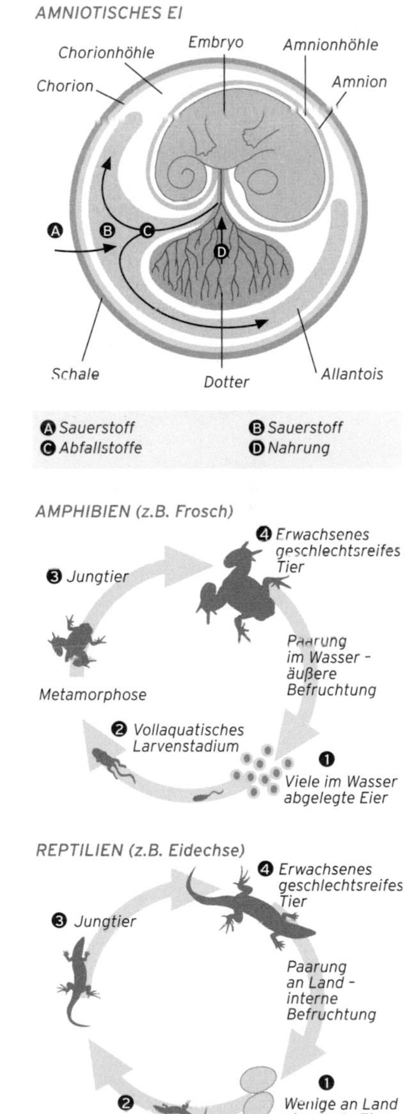

DIE SYNAPSIDEN

Wir Menschen sowie alle lebenden und ausgestorbenen Säugetiere zählen zu den sogenannten Synapsiden, einer Tiergruppe, die bereits vor 315 Millionen Jahren zusammen mit den ersten Reptilien auftrat. Ebenfalls zu den Synapsiden gehören die Vertreter einer ausgestorbenen Tiergruppe, die als säugetierähnliche Reptilien bezeichnet wird. Unter diesen Tieren befinden sich auch das bereits erwähnte *Dimetrodon* und die sogenannten Dicynodontier, die wegen ihrer stattlichen Größe auch als die „Kühe" des Perms und der Trias bezeichnet werden, sowie eine Reihe von selteneren Vertretern, die vor etwa 250 Millionen Jahren am Ende des Perms ausgestorben sind. Eine weitere bedeutende Gruppe innerhalb der Synapsiden sind die Cynodontier, wörtlich übersetzt „Hundezähner", die in der Trias vorkamen und am Ende dieser Zeitepoche vor etwa 205 Millionen Jahren bis auf eine einzige Entwicklungslinie, die zu den Säugetieren führt, verschwanden. Die Säugetiere brachten schließlich in ihrer Entwicklungsgeschichte zahlreiche Arten, darunter die größten heute lebenden Landtiere, die Elefanten, hervor. Sie eroberten aber auch mit zahlreichen Vertretern, wie den Walen, die Meere und mit den Fledermäusen sogar den Luftraum.

Die frühen Vertreter der Synapsiden waren mittelgroß, hatten ein kleines Gehirn und eine reptilienähnlich gestreckte Körpergestalt mit seitlich abgespreizten Beinen. Die meisten von ihnen waren Fleisch- oder Insektenfresser. Einige ernährten sich dagegen von Pflanzen, wie *Edaphosaurus*, der eine Körperlänge von über 3 m erreichte. Die für die meisten Säugetiere charakteristische Beinstellung, bei der die Extremitäten nicht seitlich abgespreizt, sondern unter dem Körper stehen, entwickelte sich erst allmählich. In der Gruppe der sogenannten

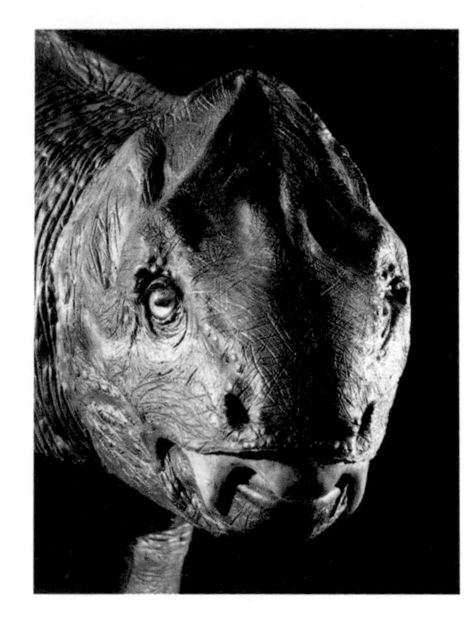

Ischigualastia jenseni war ein Säugetierähnliches Reptil aus der Gruppe der Synapsiden, das vor 230 Millionen Jahren in der Triaszeit lebte. Synapsiden waren die häufigsten Wirbeltiere während des Perms. Sie überlebten das Massenaussterben am Ende dieser Periode und beherrschten im ältesten Abschnitt der Trias bis zum Auftreten der ersten Archosaurier die Erde.

Therapsiden, die vom unteren Oberperm bis zum mittleren Jura existierte (vor etwa 250 bis 180 Millionen Jahren), gab es Vertreter, deren Vorderbeine seitlich abgespreizt standen, während die Hinterbeine wie bei heutigen Säugetieren unter den Körper gerückt waren.

Neben dieser allmählichen Abwandlung der Beinstellung, die den Säugetieren eine schnelle und ausdauernde Fortbewegung ermöglichte, vollzogen sich zahlreiche weitere für Säugetiere typische Veränderungen. Unter diesen zählt zweifellos die Entstehung des Säugetiergehörs zu den faszinierendsten evolutionären Entwicklungen in der Geschichte der Wirbeltiere. Die wunderbare Perfektionierung dieses Organs, die es uns Menschen zum Beispiel ermöglicht, Musik zu genießen, erlaubt einem Hirsch wiederum Gefahren über hunderte von Metern wahrzunehmen und ihnen dadurch zu entrinnen. Die Entwicklung des Säugtiergehörs stand in direktem Zusammenhang mit Veränderungen des Kieferbaus: Während der Unterkiefer der Säugetiere pro Kieferast aus nur einem Knochen besteht, setzt sich dieser bei Reptilien aus 5 Knochen zusammen, einem, der die Zähne trägt und vier weiteren. Von diesen steht einer in gelenkiger Verbindung mit dem Schädel. Im Verlauf der Entwicklungsgeschichte der Säugetiere vergrößerte sich der zahntragende Kieferknochen allmählich und trat an seinem Hinterende zunehmend in direkten Kontakt mit dem Schädel, wo sich schließlich eine neue Gelenkverbindung etablierte. Das alte Reptiliengelenk wurde dadurch überflüssig, und die nicht zahntragenden Kieferknochen standen für eine neue Nutzung zur Verfügung. Aus ihnen entwickelte sich schließlich das Mittelohr der Säugetiere. Dieser evolutionäre Prozess, der sich im Perm und in der Trias abspielte, vollzog sich in einem Zeitraum von rund 80 Millionen Jahren und lässt sich anhand von Fossilien genau verfolgen.

Dimetrodon bedeutet „zwei Formen von Zähnen". Sein auffälligstes Merkmal ist das große Rückensegel, das an seinen verlängerten Dornfortsätzen aufgespannt war.

DIE REPTILIEN

Dinosaurier und damit auch die Vögel stammen von urzeitlichen Reptilien ab. Zusammen mit den Schildkröten, Echsen, Schlangen und Krokodilen besitzen sie gemeinsame Vorfahren innerhalb der gewaltigen Vielfalt ausgestorbener Reptilien. Ein wichtiges Kriterium für die Gruppierung und die Klärung der Abstammungsverhältnisse besteht im Bau des Schädels. Hierbei sind vor allem

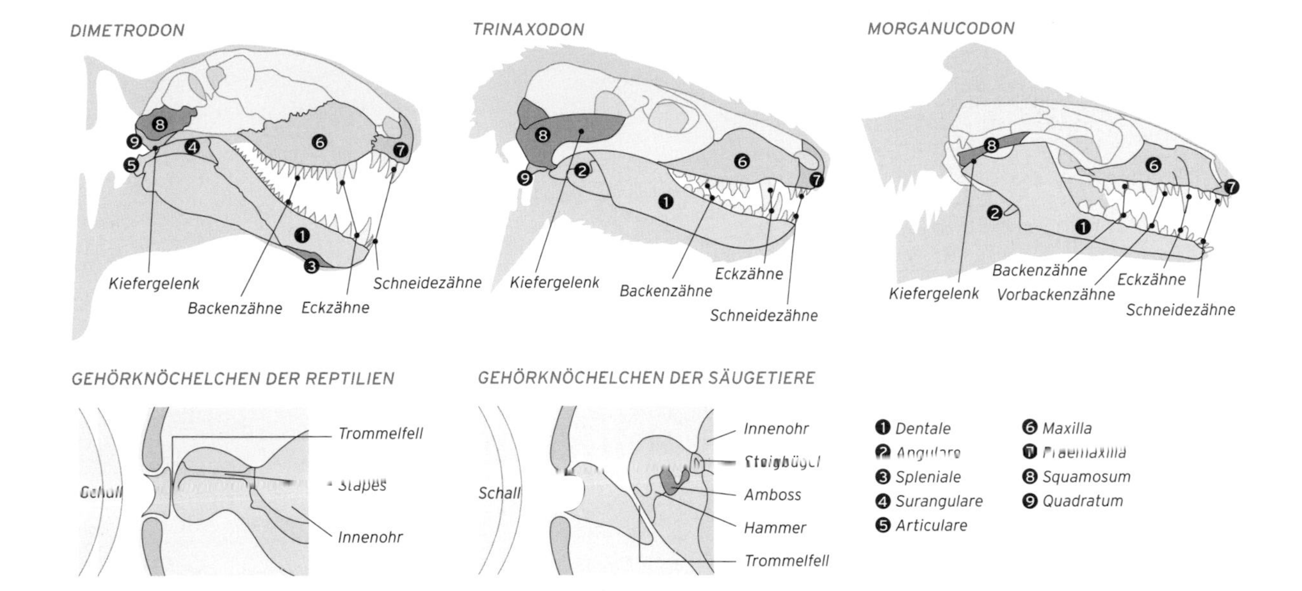

Öffnungen am Schädel wichtig, die sogenannten Schläfenöffnungen, die im Zusammenhang mit der Kiefermuskulatur stehen. Da sich Muskeln bei ihrer Verkürzung verdicken, benötigen sie Raum für ihre Ausdehnung, der durch entsprechende Stellen am Schädel, die frei von Knochen sind, zur Verfügung gestellt wird. In den verschiedenen Reptiliengruppen ist dieses Problem auf unterschiedliche Weise gelöst. Dies drückt sich in der Lage und der Anzahl der Schläfenfenster aus.

Schildkröten besitzen zwar keine Schläfenfenster, doch weisen sie am Hinterrand ihres Schädels große Ausbuchtungen auf, die der Kiefermuskulatur Raum zur Ausdehnung bieten. Unter den ausgestorbenen Reptiliengruppen kommen Vertreter mit nur einem Schläfenfenster vor, die anhand der Lage dieses anatomischen Merkmals gruppiert werden – so auch die bereits beschriebenen Säugetierähnlichen Reptilien (Synapsiden). Die heutigen Echsen, Schlangen, Krokodile, zahlreiche ausgestorbene Reptilien und schließlich auch die Dinosaurier besitzen zwei Schläfenöffnungen. Anhand dieses Merkmals stellt man sie als eigene Verwandtschaftsgruppe, die als „Diapsiden" bezeichnet werden, den „Synapsiden" gegenüber.

Aber auch bezüglich ihres Bewegungsapparates haben die Reptilien eine bemerkenswerte Vielfalt entwickelt. Laufen auf vier oder zwei Beinen oder ganz ohne Gliedmaßen, schwimmen, tauchen, klettern, graben, ja sogar fliegen, gehört zu deren Repertoire. Die Vielfalt ist so groß, dass sie hier nicht im Einzelnen erläutert werden kann. Innerhalb dieser

DIE EVOLUTION DES SÄUGETIEROHRS Das Säugetierohr ist ein Präzisionsorgan. Drei winzige Gehörknöchelchen – Hammer (Malleus), Amboss (Incus) und Steigbügel (Stapes) – arbeiten zusammen, um Geräusche von außen zum Trommelfell (Membrana tympani) weiterzuleiten. Der Reptilienunterkiefer besteht pro Kieferast aus fünf Knochen, der von Säugetieren lediglich aus einem. Einige dieser Unterkieferknochen verlagerten sich bei Säugetieren in den Schädel und bilden dort das komplexe Mittelohr.

Eine Reptiliengruppe, die heute noch vertreten ist, sind die Schildkröten. Die Abbildung zeigt eine junge Schildkröte, die aus dem Ei schlüpft. Zum Aufschlitzen der Schale dient der für Reptilien typische Eizahn.

Formenfülle unter den Reptilien lassen sich evolutionär zwei Linien verfolgen: die der Lepidosaurier (Schuppenechsen), zu denen neben verschiedenen ausgestorbenen Reptiliengruppen die heutigen Echsen und Schlangen zählen, und die der Archosaurier (Herrscherreptilien), auf die im Folgenden eingegangen wird.

DIE ROLLE DER ARCHOSAURIER

In den letzten 50 Jahren hat sich unter den Wissenschaftlern die Meinung durchgesetzt, dass Vögel, Krokodile, Dinosaurier, Flugsaurier und eine Reihe anderer ausgestorbener Reptilien von gemeinsamen Vorfahren abstammen. Sie werden daher in einer Gruppe zusammengefasst, den Archosauriern. Deren erste Vertreter entwickelten sich in der unteren Trias nach dem großen Massenaussterbeereignis, das am Ende des Perms vor etwa 250 Millionen Jahren stattfand. Die Evolution der Archosaurier gilt als eines der bedeutendsten Ereignisse in der Entwicklungsgeschichte der Wirbeltiere, weil sie einerseits zur Entstehung der Dinosaurier und Vögel führte und andererseits auch die Flugsaurier und Krokodile hervorbrachte.

Die Archosaurier gehen auf eine vielgestaltige Ursprungsgruppe zurück, die während der Mittleren und Oberen Trias weit verbreitet war. Sie umfasste kleine, bewegliche Formen, die zwei- oder vierfüßig liefen, riesige vierbeinige Fleischfresser, Pflanzenfresser, von denen einige stark gepanzert waren, sowie im Wasser lebende Arten. Letztendlich sind aus dieser Gruppe die Krokodile und Dinosaurier hervorgegangen – und nicht zuletzt zwei große Tiergruppen mit der Fähigkeit zum aktiven Flug: die Flugsaurier und die Vögel.

Man geht heute davon aus, dass Vögel nicht nur von Dinosauriern abstammen, sondern auch Dinosaurier sind. In Fachkreisen spricht man daher von Vogel-Dinosauriern und von Nicht-Vogel-Dinosauriern. Dinosaurier und Krokodile gehen auf gemeinsame Vorfahren, aus der Gruppe der Archosaurier zurück.

Innerhalb der Evolution der Archosaurier lassen sich zwei getrennte Entwicklungslinien verfolgen, deren Vertreter sich vor allem im Bau des Fußgelenkes unterscheiden. Die eine Gruppe zeichnet sich durch ein krokodilähnliches Fußgelenk aus. Sie setzt sich, neben fossilen und heutigen Krokodilen, aus einer Reihe ausgestorbener Vertreter zusammen, die während des größten Teils der Trias die Erde beherrschten. Unter ihnen befanden sich die gepanzerten Aetosaurier, räuberische Rauisuchier und die im Wasser lebenden, nur äußerlich an Krokodile erinnernden Phytosaurier. Die einzigen Überlebenden dieser bedeutenden Entwicklungslinie sind einige Arten von Krokodilen und Alligatoren, die heute die Gewässer verschiedener Kontinente besiedeln.

Die Vertreter der anderen Archosauriergruppe zeichnen sich dagegen

HERRERASAURUS-SKELETT

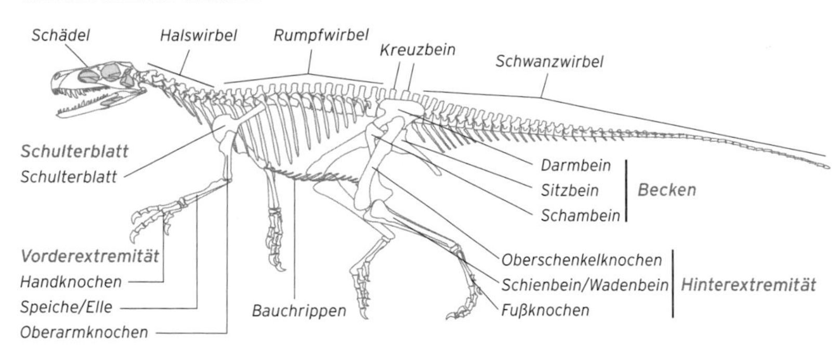

HERRERASAURUS-SCHÄDEL

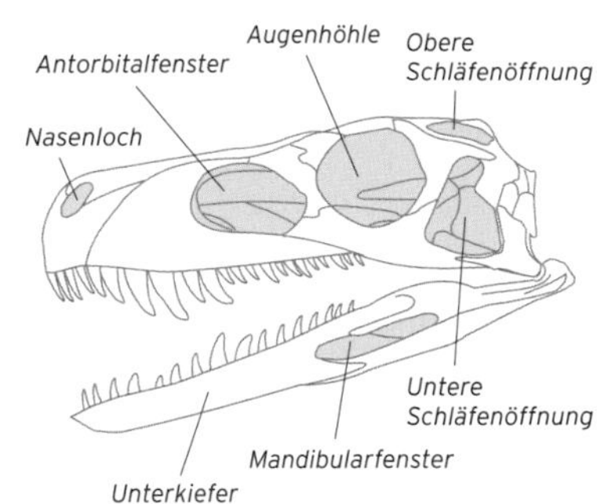

durch ein Fußgelenk aus, wie es für Dinosaurier typisch ist. Diese Formen umfassen neben den Dinosauriern auch deren Vorläufer sowie die Flugsaurier und nicht zuletzt die einzigen Vertreter dieser Gruppe, die das Massensterben vor 65 Millionen Jahren an der Kreide-Tertiär-Grenze überlebt haben, die Vögel.

EIN VORLÄUFER DER DINOSAURIER

Um einen möglichen Vorläufer der Dinosaurier handelt es sich offenbar bei *Lagosuchus*. Dieser Archosaurier, dessen Überreste aus Ablagerungen der Mittleren Trias Argentiniens stammen, besitzt bereits typische Merkmale der Dinosaurier, darunter leicht erkennbare Kennzeichen, wie die langen Hinterbeine mit verlängerten Füßen und den im Vergleich dazu kurzen Vorderbeinen. Bei *Lagosuchus* ist der Längenunterschied zwischen den Vorder- und Hinterbeinen so groß, dass man davon ausgehen kann, dass er sich nahezu ausschließlich auf den Hinterbeinen fortbewegte. Dies verleiht ihm eine unverkennbare Ähnlichkeit mit den Raubdinosauriern (Theropoden), die in der Oberen Trias und später im Jura und in der Kreide verbreitet waren.

Anders als bei heutigen Echsen, deren Beine seitlich ausgestellt sind, standen die Beine der Dinosaurier senkrecht unter dem Körper. Bei dieser Beinstellung muss der Gelenkkopf oben am Oberschenkelknochen zwangsläufig nach innen zeigen, damit er sich von der Seite in die Gelenkpfanne des Beckens einpassen kann. *Lagosuchus* besitzt bereits einen so gebauten Oberschenkelknochen. Zudem weist das Becken einen Fortsatz auf, an dem die Muskulatur ansetzte, die das Bein nach innen ziehen, und dadurch die Knie in einer unter den Körper gerückten Position halten konnte. Im Zusammenhang mit dieser Beinstellung steht auch der

SCHÄDEL Archosaurier unterscheiden sich von anderen Echsen durch zwei zusätzliche Schädelöffnungen. Eine befindet sich an der Schnauze vor dem Auge. Sie wird als Antorbitalfenster (Vor-Augen-Fenster) bezeichnet. Die andere, das sogenannte Mandibularfenster, findet sich am Unterkiefer.

SKELETT Die für Echsen übliche seitliche Beweglichkeit der Wirbelsäule, die eine schlängelnde Fortbewegung ermöglicht, ist während der Entwicklung der Archosaurier mehr und mehr einem symmetrischen Bewegungstyp gewichen, bei dem die Beine unter dem Körper stehen.

Die ältesten bekannten Dinosaurier stammen ausnahmslos aus den rund 228 Millionen Jahre alten Gesteinen Argentiniens. Bisher sind es fünf Arten, die in den vergangenen 40 Jahren entdeckt wurden. Sie repräsentieren den Ursprung der fünf Dinosaurier-Hauptgruppen.

Der Archosaurier *Lagosuchus* ist zwar kein echter Dinosaurier, doch besitzt er viele Dinosauriermerkmale: lange Beine, die senkrecht unter dem Körper standen, nach innen weisende Gelenkenden an den Oberschenkelkochen und verlängerte Füße, bei denen die mittlere Zehe am längsten war. Er wird von vielen Paläontologen als möglicher Vorfahre der Dinosaurier betrachtet.

Bau der Füße, bei der die mittlere Zehe die längste ist. Der für Dinosaurier typische verlängerte Fuß wurde bereits angesprochen. Diese Verlängerung macht es möglich, auf den Zehen zu laufen, ohne den gesamten Fuß aufzusetzen: eine Eigenschaft die eine schnelle und ausdauernde Fortbewegungsweise erlaubt.

DIE DINOSAURIER

Vor ungefähr 230 bis 65 Millionen Jahren, also nahezu im gesamten Erdmittelalter, waren Dinosaurier die dominierenden Lebewesen auf der Erde. Gegen Ende dieser Zeitepoche starben fast alle Dinosaurier und viele andere Tierarten aus. Der Grund für dieses Aussterben ist immer noch ein Rätsel.

Dinosaurier werden zu den Reptilien gezählt, obwohl sie sich in vielen Punkten deutlich von diesen unterscheiden. Die von den heutigen Echsen abweichende Beinstellung wurde bereits beschrieben. Es bleibt festzuhalten, dass die Beinstellung der Echsen beim Beschleunigen und beim Klettern nützlich ist, während sich die der Dinosaurier vor allem für schnelle und ausdauernde Fortbewegung eignet. Zu höchster Perfektion haben es hierbei zahlreiche Vertreter der Raubsaurier (Theropoden) gebracht. In dieser Gruppe generell zweibeinig laufender Formen finden sich leicht gebaute Läufer, die wahrscheinlich kaum hinter der enormen Laufleistung eines heutigen Straußenvogels zurückstanden. Die grundsätzlich vierbeinigen Langhalssaurier (Sauropoden) erreichten dagegen sehr wahrscheinlich keine bemerkenswerten Geschwindigkeiten. Gleiches gilt für die meisten Vogelbeckendinosaurier (Ornithischier): In dieser

WAS EIN STAMMBAUM AUSSAGT

Lebewesen können anhand eines hierarchischen Ordnungssystem arrangiert werden, das Gruppen zusammenfasst, die wiederum in Gruppen zusammengefasst sind. Die Zuordnung zu der jeweiligen Hierarchieebene ergibt sich aus festgelegten Ordnungskriterien. Die Verwandtschaftsbeziehungen zwischen den Arten können auf verschiedene Weise in einem Diagramm dargestellt werden.

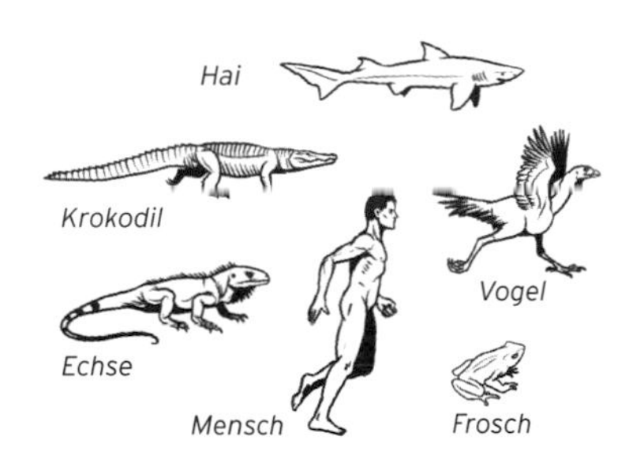

Die Wirbeltiere bilden eine Gruppe, deren Angehörige sich alle durch den Besitz einer Wirbelsäule auszeichnen.

Unter den Wirbeltieren zeichnen sich die Landwirbeltiere durch Gliedmaßen aus, die als Hände und Füße ausgebildet sind.

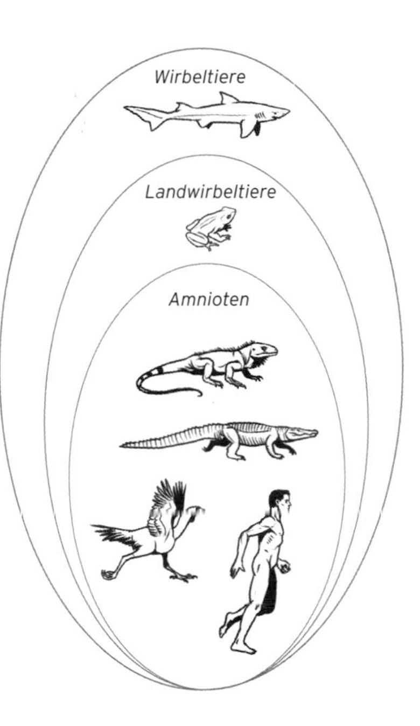

In der Gruppe der sogenannten Amnioten sind alle Wirbeltiere zusammengefasst, die sich aus amniotischen Eiern entwickeln.

Die Verwandtschaftsbeziehungen der Wirbeltiere können dargestellt werden, indem man gemeinsame evolutionsbedingte Neuerungen chronologisch verfolgt. Zunächst traten paarige Flossen und Kiefer auf, dann entwickelten sich die charakteristischen Gliedmaßen der Landwirbeltiere und schließlich das amniotische Ei.

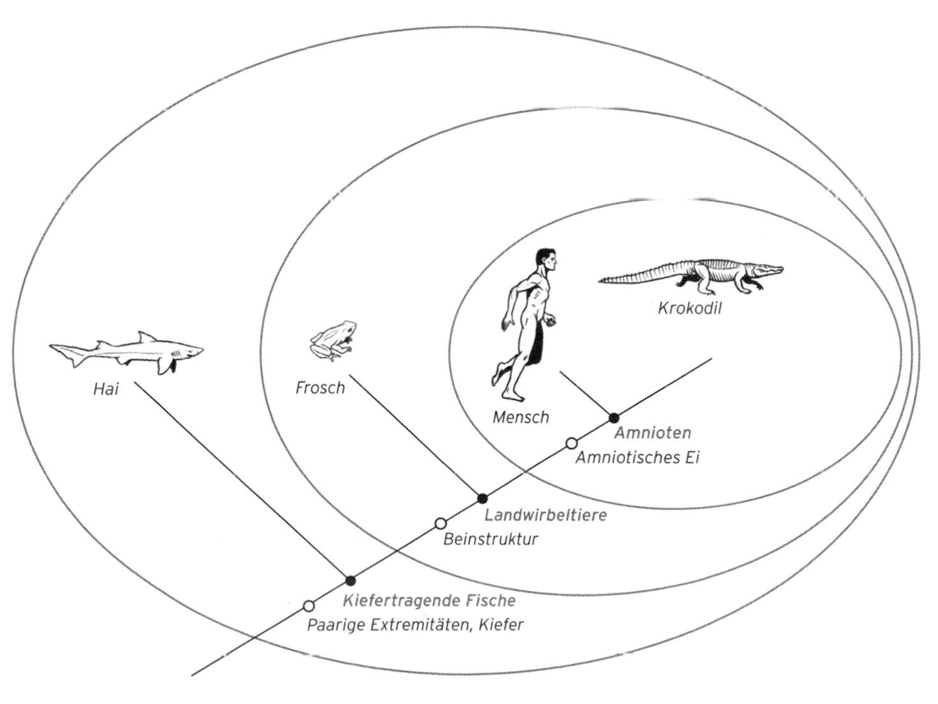

Die Entwicklung verschiedener Dinosaurierformen begann vermutlich in der Mittleren Trias, jedoch finden wir erst in der Oberen Trias Vertreter der beiden Hauptgruppen, der Vogelbecken- und Echsenbecken-Dinosaurier. Vom Mittleren Jura an bis zum Ende des Erdmittelalters brachten diese Gruppen eine unglaubliche Artenvielfalt hervor.

Gruppe waren vermutlich die Vogelfußdinosaurier (Ornithopoden), die sich beim Rennen zweibeinig fortbewegten, die schnellsten Läufer. Ob langsam oder schnell, die Beinstellung der Dinosaurier ist für ausdauerndes Laufen generell prädestiniert.

Die meisten Paläontologen gehen inzwischen davon aus, dass Dinosaurier, anders als heutige Reptilien, warmblütige Tiere waren. Dies bedeutet, dass sie ihren Stoffwechsel dazu benutzten, um ihre Körpertemperatur, unabhängig von der Umgebungstemperatur, zu regulieren. Schlangen und Echsen beeinflussen ihre Körpertemperatur durch ihr Verhalten, beispielsweise indem sie sich bewegen, sich in der Sonne aufwärmen oder, wenn nötig, Schutz im Schatten suchen. Verliert ein Reptil aufgrund äußerer Einflüsse Körperwärme, verlangsamen sich seine Stoffwechselprozesse mit sinkender Temperatur. Das Tier wird träge und verfällt schließlich bei weiter sinkender Temperatur in einen passiven Ruhezustand, der im Extremfall mit dem Tod enden kann. Warmblütige Tiere, wie Säugetiere und Vögel, erhalten dagegen eine konstante Körpertemperatur aufrecht, unabhängig von der Umgebung und den Aktivitäten, die sie betreiben. Dies ermöglicht ihnen auch in kalten Lebensräumen aktiv zu sein und sich dort rasch fortzubewegen. Jedoch erfordert eine konstante Körpertemperatur auch enorme Energiemengen, die diese Tiere aufbringen müssen.

Die Dinosaurier waren eine sehr vielfältige Tiergruppe, sowohl in ihrer Formenvielfalt, als auch bezüglich der Bandbreite ihrer Körpergrößen. Einer der kleinsten Dinosaurier, *Eoraptor*, hatte die Größe eines Huhns. Die größten finden sich unter den Langhalssauriern (Sauropoden) wie *Diplodocus*. Der größte Langhalssaurier, der gleichzeitig das größte Lebewesen ist, das jemals auf der Erde lebte, war *Argentinosaurus*, der in Patagonien entdeckt wurde und eine Länge von bis zu 38 Metern erreichte. Der berühmte *Giganotosaurus*, der ebenfalls in Argentinien gefunden wurde, war wiederum einer der größten Raubsaurier (Theropode): Sein Kopf erreichte eine Länge von rund 1,80 m und seine Gesamtkörperlänge betrug etwa 14 m. Manche Dinosaurier besaßen eine außergewöhnliche Gestalt, wie der Pflanzen fressende *Triceratops*, der drei spitze Hörner zur Verteidigung auf seinem Kopf trug. Andere, wie *Stegosaurus*, hatten ihren gesamten Rücken mit großen Platten bedeckt und wiesen zu ihrem Schutz spitze Dornen am Schwanzende auf. *Ankylosaurus* schützte sich, ähnlich wie heutige Gürteltiere, mit einer Rüstung aus massiven Knochenplatten, die seinen Körper bedeckte und ihn in ein lebendes Panzerfahrzeug verwandelte.

Häufig besteht unter Nichtfachleuten die Vorstellung, dass all diese Dinosaurierarten zur gleichen Zeit auf der Erde gelebt haben. Dies ist aber keinesfalls richtig. Triassische Dinosaurier wie *Herrerasaurus* existierten bereits vor 230 Millionen Jahren, also ungefähr 160 Millionen Jahre vor *Tyrannosaurus rex*. Dies ist eine beachtliche Zeitspanne, wenn man bedenkt, dass die Dinosaurier vor gerade einmal 65 Millionen Jahren ausgestorben sind!

Ein weiterer häufiger Irrtum besteht darin, dass die Flugsaurier und die unterschiedlichen Meeressaurier als fliegende und schwimmende Dinosaurier betrachtet werden. Flugsaurier sind keine Dinosaurier. Sie werden als eigene Gruppe geführt, die sich wie die Dinosaurier aus bestimmten Archosauriern der frühen Triaszeit entwickelt haben. Im Wasser lebende Formen haben die Dinosaurier nie hervorgebracht. Die zahlreichen Meeressaurier, die im Erdmittelalter existierten, gehören zu unterschiedlichen Reptiliengruppen, die meist ohne Nachfahren ausgestorben sind. Fliegende Dinosaurier scheint es nicht gegeben zu haben. Da man allerdings nach neuesten wissenschaftlichen Erkenntnissen die Vögel nicht mehr nur als Nachfahren der Dinosaurier betrachtet, sondern als echte Dinosaurier, ist dies offenbar doch der Fall.

ZWEI TYPEN VON DINOSAURIERN Bei Echsenbecken-Dinosauriern (oben) weist das Schambein (Pubis; grün), wie bei den meisten Reptilien, nach vorne unten und das Sitzbein (Ischium; blau) nach hinten unten. Bei den Vogelbecken-Dinosaurier (unten) liegt das Schambein, wie beim Becken der Vögel, am Sitzbein an und zeigt zusammen mit diesem nach hinten unten. Anders als bei Vögeln, weist das Schambein oft einen zusätzlichen nach vorne gerichteten Fortsatz auf.

Vereinfacht kann man die Dinosaurier wie folgt definieren: Sie lebten im Erdmittelalter vor 230 bis 65 Millionen Jahren. Sie hatten einen Schädel mit zwei Schläfenöffnungen. Ihre Beine waren nicht seitlich ausgestellt, sondern standen unter dem Körper. Das Fußgelenk wurde von den Fußwurzelknochen gebildet. Sie liefen nicht auf dem ganzen Fuß, sondern auf den Zehen. Sie waren wahrscheinlich warmblütig. Wenn sie, wie im Fall der Vögel, Flügel hatten, bestanden die Tragflächen nicht aus einer Flughaut, sondern aus Federn.

KLASSIFIKATION DER DINOSAURIER

Die Gruppierung der unterschiedlichen Dinosaurierformen hat sich seit ihrer Entdeckung im Verlauf der Zeit in vielerlei Hinsicht verändert und ist immer wieder entsprechend den jeweiligen neuen wissenschaftlichen Erkenntnissen angepasst worden. Der moderne Stammbaum der Dinosaurier behält die ursprüngliche Aufteilung in Echsenbeckendinosaurier (Saurischia) und Vogelbeckendinosaurier (Ornithischia) bei. Diese

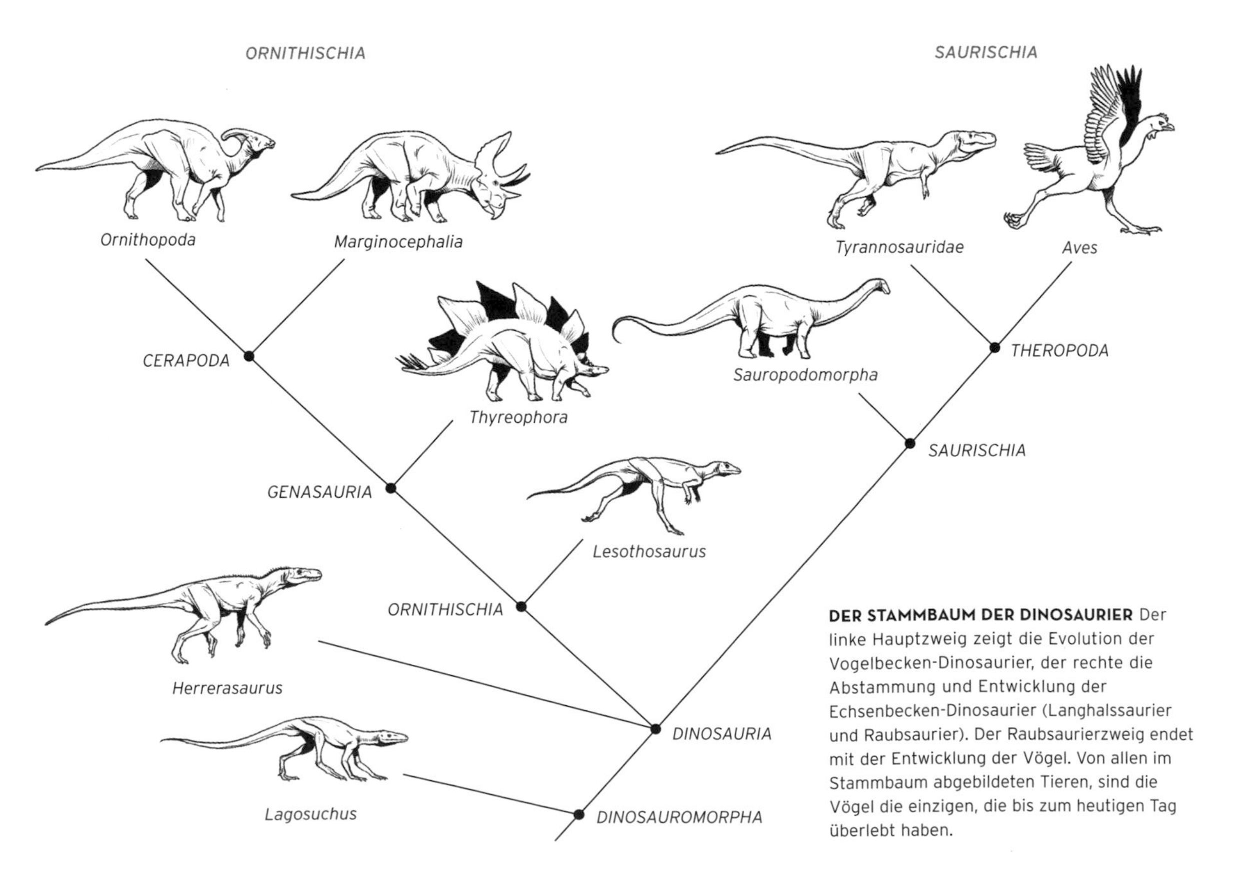

DER STAMMBAUM DER DINOSAURIER Der linke Hauptzweig zeigt die Evolution der Vogelbecken-Dinosaurier, der rechte die Abstammung und Entwicklung der Echsenbecken-Dinosaurier (Langhalssaurier und Raubsaurier). Der Raubsaurierzweig endet mit der Entwicklung der Vögel. Von allen im Stammbaum abgebildeten Tieren, sind die Vögel die einzigen, die bis zum heutigen Tag überlebt haben.

Unterteilung basiert im Wesentlichen auf der Struktur des Beckens. Die Saurischier (vom Griechischen „sauros" für „Echse" und „ischion" für „Hüfte") wiesen die Beckenstruktur ihrer Vorfahren mit einem nach vorne gerichteten Schambein auf. Diese Grundform wurde innerhalb einiger Gruppen modifiziert, indem das Schambein unterschiedlich stark nach hinten gedreht wurde. Die Echsenbeckendinosaurier (Saurischia) umfassen einerseits die Raubsaurier (Theropoda), zu denen letztlich auch die Vögel gehören, und andererseits die Langhalssaurierähnlichen (Sauropodomorpha), mit ausschließlich Pflanzen fressenden Vertretern, die wiederum in zwei Gruppen unterteilt werden: die Langhalssaurier (Sauropoda) und die Vor-Langhalssaurier (Prosauropoda).

Fossilien von Raubsauriern und Langhalssauriern sind in Argentinien sehr häufig. Jedes Jahr werden neue Funde geborgen, von denen viele in der Ausstellung „Dinosaurier – Giganten Argentiniens" gezeigt werden. Hier eine Liste der in der Ausstellung vorgestellten Arten:

Theropoda: *Carnotaurus, Austroraptor, Unenlagia, Giganotosaurus, Patagonikus, Piatnitzkysaurus, Eoraptor, Herrerasaurus, Frenguellisaurus.*

Sauropoda: *Amargasaurus, Puertasaurus, Argentinosaurus, Adeopapposaurus, Argyrosaurus, Neuquensaurus, Patagosaurus, Leonerasaurus, Brachytrachelopan, Panphagia, Mussaurus, Lessemsaurus.*

Die Vogelbeckendinosaurier oder Ornithischier (vom Griechischen „ornitheios", was „von einem Vogel" bedeutet und „ischion" für „Hüfte") erhielten ihren Namen hingegen aufgrund einer eher oberflächlichen Ähnlichkeit ihres Beckens mit dem der Vögel. Bei ihnen weist das im Fall der Echsenbeckendinosaurier nach vorne gerichtete Schambein nach hinten und liegt dem Sitzbein an. Abgesehen davon besitzt das Becken der Vögel paradoxerweise mehr Ähnlichkeit mit dem der Echsenbeckendinosaurier. Anders als beim Becken der Vögel, weist das Schambein der Ornithischier gewöhnlich einen zusätzlichen nach vorne gerichteten Fortsatz auf, und auch die Darmbeine sind anders ausgerichtet. Die Vogelbeckendinosaurier sind generell Pflanzenfresser. Unter ihnen haben sich vor allem unter den Hadrosauriern, einer sehr vielfältigen und hochentwickelten Dinosauriergruppe, Gebisstypen mit einer äußerst effizienten Bezahnung entwickelt, die kaum hinter der Pflanzen fressender Säugetiere zurücksteht. In dieser Dinosauriergruppe sind auch Nachweise von Brutpflege bekannt. Vogelbeckendinosaurier waren vor vielen Millionen Jahren im urzeitlichen Argentinien nicht sehr häufig – wie auch die Liste der Ornithischier, die in der Ausstellung gezeigt werden, verdeutlicht:

Ornithischia: *Kritosaurus, Talenkauen.*

Patagonykus ist ein Raubsaurier aus der Oberkreide Argentiniens. Seine kurzen Arme mit einem einzelnen dornartigen Finger eigneten sich wahrscheinlich nicht zum Beutefang oder Graben von Erdlöchern, sondern dienten möglicherweise zum Scharren und zum Aufreißen von Insektenbauten.

2.

FOSSILIEN UND GESTEINE: WAS IST EIN FOSSIL?

Fossilien sind Überreste von Organismen, die vor langer Zeit lebten. Ihr Alter reicht von einigen Tausend bis hin zu vielen Millionen Jahren. Die ältesten Zeugen vielfältigen Lebens sind etwa 600 Millionen Jahre alt. Aktuelle Untersuchungen belegen, dass bereits 3,8 Milliarden Jahre zuvor die ersten Bakterien existierten. Zum zeitlichen Vergleich: Die Dinosaurier starben vor gerade einmal 65 Millionen Jahren aus!

Nicht alles frühere Leben ist in Form von Fossilien erhalten. Die meisten Lebewesen verschwanden einfach spurlos. Am wahrscheinlichsten ist die fossile Erhaltung von Hartteilen, wie Schalen oder von stabilen, vom lebenden Organismus gebauten Gebilden, wie beispielsweise die Kalkskelette der Korallen. Für eine Erhaltung der Weichteile müssen besonders günstige Bedingungen vorliegen.

Die Größe von Fossilien reicht von winzigen Spuren bis hin zu großen Skeletten. Spurenfossilien sind Zeugen früheren Lebens; sie belegen die Aktivität oder die schlichte Anwesenheit von Tieren und Pflanzen an einem Ort. Beispiele für solche Spurenfossilien sind Fußabdrücke, Bauten und Wurzelröhren. Bei versteinerten Knochen reicht die Größenskala ebenfalls von Millimeter großen Knöchelchen bis zu den riesigen Gebeinen der Dinosaurier.

Die wichtigste Voraussetzung für eine fossile Erhaltung ist, dass der Organismus von Sediment bedeckt wurde, bevor Raubtiere oder natürliche Verwitterung und Verwesung ihn komplett zerstören konnten. Eine derartig schnelle Einbettung findet besonders im Meer statt, wo kontinuierlich feine Partikel (Silt und Feinsand) auf den Meeresboden rieseln. Aus diesem Grund sind Meeresorganismen im Fossilbericht weitaus häufiger zu finden als landlebende Organismen.

Aber auch an Land können Reste von Lebewesen fossil erhalten bleiben. Das kann wie folgt vonstatten gehen: Angenommen ein Dinosaurier

Als Fossil bezeichnet man jedes Zeugnis früher lebender Pflanzen oder Tiere, das in der Erdkruste erhalten ist. In der Regel ist die Form des Tieres oder der Pflanze fossil erhalten, die ursprüngliche organische Substanz des Körpers jedoch verschwunden.

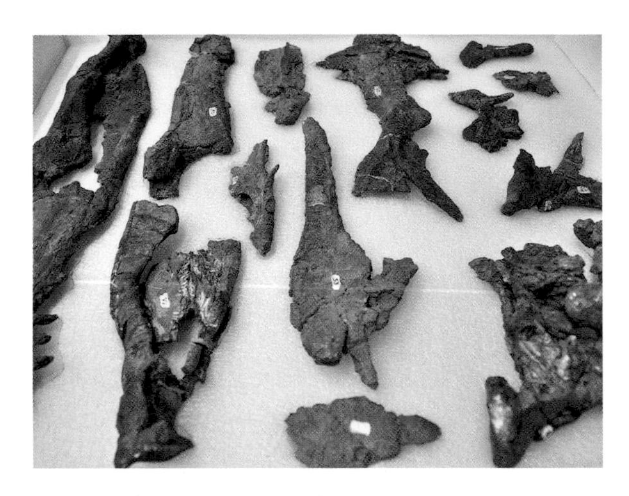

Fossilien von Dinosauriern sind schwer zu finden - besonders vollständige Skelette. Üblicherweise werden nicht miteinander verbundene Skelettteile und Knochenfragmente gefunden.

liegt tot an einem Flussufer. Bevor er komplett verwest ist, wird der Uferbereich durch einen Anstieg des Wasserspiegels überflutet und angeschwemmte Schlammmassen lagern sich auf der Leiche ab. Nach dem Rückgang des Hochwassers ist der Körper des Tieres von einer dicken Schlammschicht bedeckt. Während die weichkörprigen Bestandteile des Dinosauriers auch unter diesen Bedingungen verwesen, bleiben Knochen und Zähne von diesem Prozess verschont. Im Verlauf der Zeit lagert der Fluss immer wieder Schlammschichten ab, so dass die Überreste des Dinosauriers tiefer und tiefer unter die Erde geraten. Der Druck und die Temperatur dieser Schichten vergrößert sich mit zunehmender Auflast der Ablagerungen. So wird das ehemals lockere Sediment zunehmend verdichtet und in Gestein umgewandelt. Während dieses Prozesses sickern im Schlamm gelöste Mineralien in die Dinosaurierknochen, die auf diese Weise versteinern und dabei ihre äußere Gestalt beibehalten.

Nun vergehen einige Millionen Jahre und starke Erdbewegungen heben und neigen die Gesteinsschichten, so dass nicht mehr Sedimente abgelagert, sondern abgetragen werden. Natürliche Erosionskräfte - die Sonnenhitze bei Tag, kalte Winde in der Nacht, Regen, Hagel, Frost und Eissprengung - spalten die Deckschichten. Eines Tages legt die Erosion die Schichten mit den Dinosaurierüberresten frei, bis sie von Fossiliensuchern entdeckt werden können.

Skelette von Dinosauriern kommen in Ablagerungsgesteinen vor. Meist sind sie von hartem Material wie Sandstein umgeben, seltener finden sie sich unter vulkanischen Aschelagen, in denen die Bergung und Präparation leichter fällt.

FOSSILIEN ENTDECKEN

Fossilien von Dinosauriern und anderen urzeitlichen Lebewesen gelangen täglich durch Verwitterung des Bodens an unzähligen Stellen der Welt ans Tageslicht. Jedoch ist unter normalen Umständen niemand vor Ort, sie zu entdecken. Tatsächlich ist nur ein winziger Bruchteil der Gesteine, die Überreste urgeschichtlichen Lebens enthalten, überhaupt zugänglich, so dass lediglich die oberflächlichen Lagen, die nicht von einer dichten Vegetation bedeckt sind, in Frage kommen. Günstige Bedingungen ergeben sich beispielsweise dort, wo gerade Gestein freigelegt wird, etwa beim Bau von Straßen oder Eisenbahnstrecken. Aber auch Grubenhalden von Steinbrüchen oder Baugruben, in denen Gesteine ausgehoben wurden, können durchsucht werden, um Fossilien zu finden. Ebenfalls gut geeignet

Sandsteine, Tonsteine oder vulkanische Aschen, die in Wüstengebieten abgelagert wurden, können eine sonderbare Landschaftsform ausbilden, die als Ödland bezeichnet wird. Üblicherweise werden in Ödlandgebieten häufig Dinosaurier-Funde gemacht.

sind Klippen, Uferbänke von Flüssen, Landzungen und andere natürliche Aufschlüsse. Felsiges, trockenes Ödland weist meist nur eine spärliche Vegetation auf, so dass die Gesteinsaufschlüsse, die möglicherweise Fossilien enthalten, leicht zugänglich sind. Es regnet selten in diesen Gebieten, aber jedes Mal, wenn es regnet, gräbt sich das Wasser ein wenig tiefer in das Sediment und legt immer mehr Fossilien frei.

Zu beachten ist auch, dass nur in bestimmten Gesteinstypen Fossilien vorkommen können. Der weitaus überwiegende Teil wird in Sedimentgesteinen gefunden, also in Gesteinen, die sich durch Ablagerungen von Flüssen, Seen oder des Meeres gebildet haben. Charakteristisch ist ihre Schichtung, wobei die unten liegenden Lagen naturgemäß die ältesten sind. In sehr seltenen Fällen sind Fossilien auch in vulkanischer Asche oder einem erkalteten Lavastrom erhalten geblieben. Man sollte sich also auf Sedimentgesteine konzentrieren, wenn man nach Fossilien sucht. Aber auch das ist keine Garantie.

Fossilien gehören zu den wertvollsten Informationsquellen, die uns über die Erdgeschichte Auskunft geben können. Sie erzählen uns vom Werdegang der Lebewesen, beginnend mit den ersten Organismen, die vor rund 3,8 Milliarden Jahren entstanden, bis zum Auftreten der heutigen Tiere und Pflanzen.

Um Fossilien einer bestimmten Zeitepoche zu finden, zum Beispiel Dinosaurierüberreste aus dem Erdmittelalter, muss man in Gesteinen entsprechenden Alters suchen. Dieses Kriterium grenzt die Auswahl der Gebiete enorm ein. Geologische Karten großer Teile der Erdoberfläche werden von Geowissenschaftlern angefertigt - besonders solche, die der Auffindung von Mineralien und anderen Bodenschätzen, wie Kohle, Erdöl oder metallischen Erzen, dienen. Diese Karten sind für Paläontologen, die

Um ein vollständiges Skelett zu bearbeiten braucht man viel Geschick, spezielle Werkzeuge und Geduld. Zunächst wird das Skelett mit Hilfe von Bürsten und scharfen Meißeln freigelegt. Danach entwickelt man einen Plan, wie man es wohlbehalten vom umgebenden Gestein befreit.

oft mit Geologen im Forschungsteam zusammen arbeiten, von unschätzbarem Wert. Auf den Karten sind die Gesteinstypen und das ungefähre Alter der an der Erdoberfläche auftretenden Gesteine dargestellt. Allerdings bedarf noch ein großer Teil der Landoberfläche unserer Erde einer detaillierten Kartierung. Üblichweise holen sich Paläontologen oder Fossilienjäger durch die Auswertung von Luftbildern oder Satellitenkarten Unterstützung. Diese können potenzielle Fundorte in abgelegenen Gegenden aufzeigen.

Wirbeltierfossilien sind nicht nur selten, sondern auch oft zerbrechlich. Die Paläontologen müssen daher sehr genau hinschauen, um keines zu übersehen, und später sehr sorgfältig mit ihnen umgehen. Große Knochen sind bereits aus der Ferne sichtbar, die nicht weniger bedeutsamen kleinen Knochen und Zähne dagegen nur aus unmittelbarer Nähe. Je nachdem welche Fossilien sie suchen, kann es sein, dass Wirbeltierpaläontologen die Oberfläche des Gebietes zu Fuß ablaufen oder gar auf allen Vieren krabbeln. Im Fall von sogenannten Mikrosites, also Stellen, die winzige Fossilien enthalten, liegt der Paläontologe mitunter flach auf dem Bauch.

GEGENÜBERLIEGENDE SEITE Sogenannte "Red Beds" sind eine weitere Form von Ablagerungsgesteinen, die viele Fossilien enthalten können. Diese Gesteine sind in der Regel sehr salzhaltig.

DIE AUSGRABUNG

Die Paläontologie basiert im Wesentlichen auf Fossilien. Doch beschränkt sich die Arbeit der Wissenschaftler nicht allein auf das Entdecken neuer Funde. Ein nicht unwesentlicher Teil erfolgt in den Sammlungen und Labors der Museen.

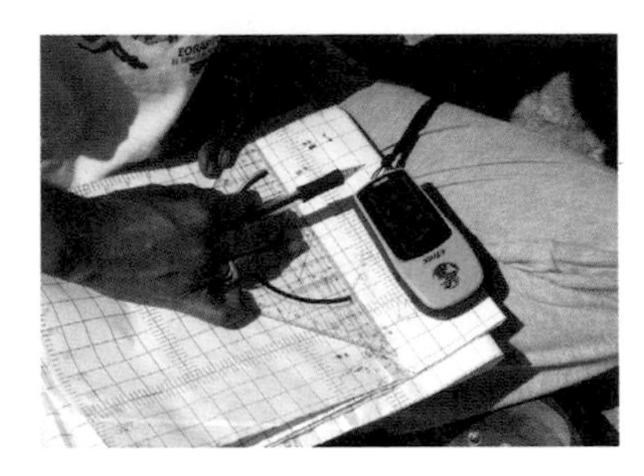

Es ist wichtig, so viele Informationen wie möglich zu sammeln. Daher werden Zeichnungen angefertigt, die die genaue Lage jedes Knochens zeigen, die dazugehörigen Koordinaten notiert, die Geologie der Umgebung beschrieben und manchmal auch Gesteinsbruchstücke gesammelt.

Dinosaurierfossilien kommen offenkundig nicht überall vor. Um heraus zu bekommen, wo sie zu finden sind, müssen wir auf unser Wissen zurückgreifen, wie Fossilien entstehen und wo sie am wahrscheinlichsten sind. Damit sollten wir in der Lage sein, vorauszusagen, wo unsere Suche Aussicht auf Erfolg haben könnte. Haben wir schließlich ein versteinertes Skelett gefunden, besteht die nächste Aufgabe darin, es unbeschädigt zu bergen, um es dann später unter Laborbedingungen präparieren zu können. Zuvor müssen jedoch noch möglichst viele Daten von der Fundsituation aufgenommen werden. Diese Informationen sind nicht nur für den Ausgrabungsprozess, sondern auch für spätere Untersuchungen wichtig. Da ein Fossil, wenn es gefunden wird, meist noch überwiegend im Gestein steckt, ist es wichtig, zunächst die Größe des Fossils zu ermitteln. Danach wird die Fundsituation fotografisch sowie anhand von Skizzen dokumentiert, und die Ausrichtung des Fossils mit Hilfe eines Kompasses bestimmt.

Diese Daten können wichtige Hinweise liefern, wie das Tier starb und was nach seinem Tod mit den Überresten geschah. Die Koordinaten der Längen- und Breitengrade (Rechts- und Hochwerte) sowie die vertikale Position des Fossils im Gestein ermöglichen Paläontologen und Geologen eine bessere Bestimmung des fossilen Alters. All diese Daten müssen unmittelbar und kontinuierlich aufgenommen werden, weil sich nach der Ausgrabung und der Bergung des Fossils die Fundsituation nicht mehr rekonstruieren lässt.

Für den Transport zum Präparationslabor wird das Fossil zusammen mit einem Teil des umgebenden Sediments mit in flüssigem Gipsmörtel getränkten Bandagen umwickelt. In diesem stabilen Gipsmantel ist es vor äußeren Einflüssen gut geschützt.

Für die Freilegung des Fossils sind Kenntnisse über die vorliegende Tierart genauso hilfreich wie sorgfältige Ausgrabungstechniken. Im Fall von sehr feingliedrigen Fossilien oder wenn die exakte Größe und Form unbekannt ist, ist viel Sorgfalt nötig. Paläontologen benutzen dann häufig sehr feine Werkzeuge, wie Nadeln, oder verwenden Zahnbürsten, um das umliegende Sediment zu entfernen. Die Bergung von großen Fossilien, wie Dinosaurierskeletten, kann im wahrsten Sinne des Wortes Knochenarbeit sein. Häufig schaut nur ein Teil des Skeletts aus einer Felswand hervor. Um es vollständig freizulegen, muss das darüber liegende Gestein zunächst mit Spitzhacken, Schaufeln oder manchmal sogar mit Hilfe eines Presslufthammers abgetragen werden.

Nach der Bergung werden die Fossilien sorgfältig verpackt, um sie sowohl vor Stößen und Schlägen während des Transports zum Museum, als auch vor Umwelteinflüssen, die sie beschädigen könnten, zu bewahren. Hierzu wird das Fossil wie ein gebrochener Knochen eingegipst. Dies geschieht mit langen reisfesten Bandagen (herkömmlicher Weise Sackleinen) und Gipsmörtel. Als Polster zwischen der Hülle und dem Fossil benutzen Paläontologen meist eine Schicht lockerer Erde oder Papiertücher. Zunächst wird die Oberseite des Fossils eingegipst. Nachdem die Gipshülle ausgehärtet ist, wird das Fossil vom unterlagernden Sediment gelöst - meist mit Spitzhacken -, umgedreht und von der anderen Seite eingegipst. Dabei ist es sinnvoll, einen Teil des umgebenden Sediments zum Schutz des Fossils mit einzugipsen, aber nicht zu viel, damit die Hülle nicht zu schwer wird. In neuer Zeit werden Fossilien meist in Polyurethanschaum verpackt. Dieser ist leichter als Gips und schützt besser vor Stößen.

DINOSAURIER REKONSTRUIEREN

Mit der Ankunft der im Gelände gesammelten Stücke im Präparationslabor des Museums beginnt die nächste Arbeitsphase: Diese beinhaltet die vorsichtige Entfernung der Schutzhülle und die anschließende, sorgfältige Präparation der Fossilien aus dem umgebenden Gestein, bevor die detaillierte Untersuchung beginnen kann. Im Präparationslabor werden die Fossilien vorsichtig gereinigt und untersucht. Mit Hilfe von Druckluftbohrern, Sandstrahlgeräten und feinen Sticheln wird das Fossil freigelegt und von Gesteinsresten befreit. Das wahrscheinlich meist verwendete Werkzeug ist der Druckluftbohrer. Dies ist im Grunde ein kleiner Presslufthammer mit einer rotierenden Düsenspitze, die das Sediment aufbricht und mit einem permanenten Luftstrom Feinmaterial ausbläst.

Sind die Fossilien im Labor eingetroffen, werden sie je nach ihrer Wichtigkeit und Größe präpariert. Die Präparation der kleinen Stücke wird unter dem Mikroskop vorgenommen.

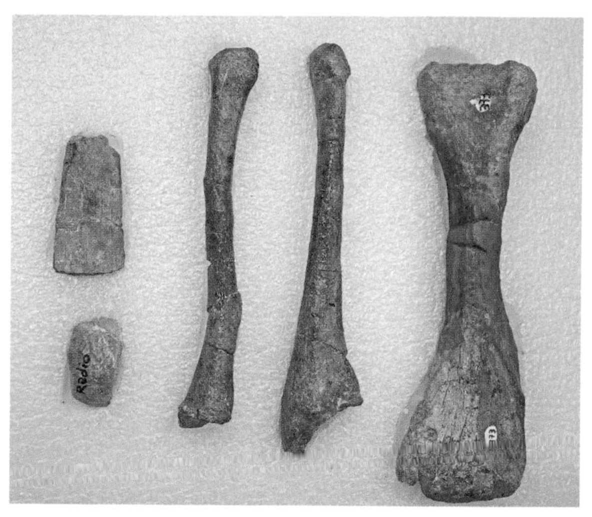

Präparierte Fossilien können in wissenschaftlichen Sammlungen aufbewahrt oder als einzigartige Stücke im Museum ausgestellt werden.

Sind die Fossilien präpariert und untersucht, können sie in Museen ausgestellt werden. Manchmal werden die echten Fossilien in Kunstharz abgegossen und so vervielfältigt. Solche Knochennachbildungen sind einfacher zusammenzufügen und als Skelette zu montieren.

Zwischen Fossil und umgebendem Gestein gibt es eine feine Grenzschicht an der bei vorsichtiger Bearbeitung das Sediment beim Abtragen mit dem Druckluftbohrer abbröckelt, bevor die Spitze des Meißels den darunter liegenden Knochen berührt. Winzige, sogar mikroskopisch kleine Abnutzungsmarken an fossilen Zähnen können wertvolle Hinweise auf die Nahrung des Tieres geben, während rauhe Knochenbereiche oft die Ansatzstellen von Muskeln kennzeichnen. Der Präparator muss daher vermeiden, Kratzer, Furchen oder andere Schrammen zu erzeugen. Die Kunst dabei ist, so viel Sediment wie möglich zu entfernen, ohne das Fossil zu beschädigen. In vielen Fällen lässt es sich jedoch nicht vermeiden, einen Rest Gestein zur Stabilisierung zu belassen.

Fossilien kleinerer Tiere können gänzlich im Gestein eingeschlossen sein. Während der Präparator arbeitet, legt er oder sie das Fossil zum ersten Mal nach Tausenden, Millionen oder sogar Hunderten von Millionen Jahren frei, was dazu führen kann, dass die Knochen Risse bekommen und zerbrechen. Um Knochen zu härten, benutzen Präparatoren Vinylacetat, das die porösen Oberflächen durchdringt. Brechen die Knochen, reparieren die Präparatoren den Schaden mit starken Klebstoffen. Obwohl zu erwarten wäre, dass die größten Fossilien auch die längste Präparationszeit in Anspruch nehmen, ist oft das Gegenteil der Fall. Winzig kleine Fossilien sind häufig die zeitaufwändigsten. Präparatoren, die die kleinsten Fossilien bearbeiten, benutzen Mikroskope oder Visiere mit Vergrößerungslinsen, sowie Nadeln, um das Sediment zu entfernen.

Die Präparation von Wirbeltierfossilien ist eine äußerst komplizierte Arbeit, die von Spezialisten vorgenommen wird. Große Fossilien können mit Hilfe von Druckluftmeißeln bearbeitet werden. Sehr kleine Fossilien oder Stücke, die noch den letzten Feinschliff bekommen werden unter dem Mikroskop präpariert (rechts).

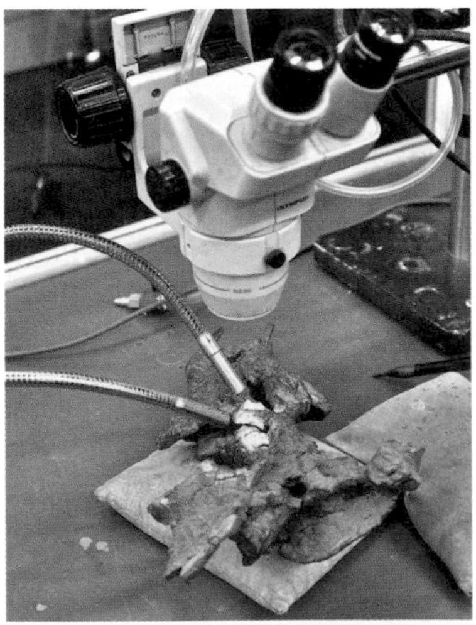

In manchen Fällen entstehen auf diese Weise Meisterstücke der Präparationskunst. Die fossilen Knochen sehen dann so aus, als wären sie von einem heutigen Tier und nicht viele Millionen Jahre alt.

DIE GEOLOGISCHE ZEITSKALA

Dinosaurier werden ausschließlich in Ablagerungen des Erdmittelalters, des sogenannten Mesozoikums gefunden. Um zu erklären, was unter dem Zeitalter des Mesozoikums in seiner erdgeschichtlichen Bedeutung zu verstehen ist, haben wir hier die geologische Zeitskala dargestellt.

Es wurde berechnet, dass die Erde 4.600 Millionen Jahre alt ist. Die ältesten Gesteine, die bislang entdeckt wurden, sind etwa 3.600 Millionen Jahre alt. Jedoch muss es davor eine beachtliche Zeitspanne gegeben haben, in der die heiße, schmelzflüssige Erde soweit abkühlte, dass sich eine Gesteinskruste bilden konnte.

Eine genaue Datierung der Gesteine ist für Paläontologen von großer Bedeutung, da das Gesteinsalter ihnen auch das Alter der fossilen Organismen verrät. Wissenschaftliche Aussagen werden in der Geologie nur selten ohne den Bezug zur geologischen Zeit geführt.

Man redet von relativem Alter, wenn die Gesteinsschichten bezüglich ihrer sichtbaren Abfolge zeitlich eingeteilt werden und von absolutem Alter, wenn direkte Messungen am Gestein erfolgen, anhand derer die tatsächliche Zeit ermittelt wird, die seit der Gesteinsbildung vergangen ist. Absolute Altersdatierungen können dazu verwendet werden, um die relative Zeitskala zu eichen und somit eine integrierte geologische oder „geochronologische" Zeitskala zu erstellen.

Es ist wichtig zu berücksichtigen, dass sich mit neuen Informationen über die Gesteinsuntergliederung oder Korrelation relativer Alter, sowie neuen Messungen absoluter Alter, die Zeiten, die auf der Zeitskala aufgetragen sind, ändern können und variieren. Obwohl anfangs nur geschätzte Werte vorlagen, wurde die numerisch geeichte geologische Zeitskala seit den 1930er Jahren kontinuierlich verfeinert, wobei sich der Umfang der Änderungen mit jeder Überarbeitung im Laufe der Jahrzehnte verringerte.

Wie auf der Zeitskala ersichtlich ist, sind Dinosaurier nicht die ältesten bekannten Fossilien. Die ältesten Lebensformen, die bislang entdeckt wurden, sind winzige, bakterienähnliche Organismen, deren Überreste in 3,1 Milliarden Jahre alten Gesteinen erhalten geblieben sind. Komplizierter gebaute Lebewesen treten erst ungefähr 2,5 Milliarden Jahre später auf.

GEOLOGISCHE ZEITSKALA Die geologische Zeit wird in eine Vielzahl von Kategorien unterteilt. Die Hauptkategorien sind die Ären, die darauffolgenden kleineren werden als Perioden bezeichnet. Die jüngste geologische Zeitspanne ist oben im Diagramm aufgetragen, die älteste unten.

Millionen Jahre	ÄRA	PERIODE	EREIGNIS
0–1.8	KÄNOZOIKUM	Quartär	Evolution des Menschen
1.8–50	KÄNOZOIKUM	Tertiär	Erste Affen Vielfalt der Säugetiere
100	MESOZOIKUM	Keide	Aussterben der Dinosaurier Erste Blütenpflanzen
150	MESOZOIKUM	Jura	Erste Vögel Vielfalt der Dinosaurier
200	MESOZOIKUM	Trias	Erste Säugetiere Erste Dinosaurier
250	PALÄOZOIKUM	Perm	Massenaussterben Vielfalt der Reptilien
300	PALÄOZOIKUM	Karbon: Oberkarbon	Erste Reptilien Schuppenbäume
350	PALÄOZOIKUM	Karbon: Unterkarbon	Samenfarne
400	PALÄOZOIKUM	Devon	Erste Landwirbeltiere Vielfalt der Fische
450	PALÄOZOIKUM	Silur	Erste Gefäßpflanzen
450–500	PALÄOZOIKUM	Ordovizium	Schnelle Zunahme der Vielfalt der Vielzeller
500–550	PALÄOZOIKUM	Kambrium	Erste Fische Erste Chordatiere
550–650	OBERES PROTEROZOIKUM		Erste Skelettelemente Erste weichkörprige Vielzeller Erste Tierspuren

Die Theorie der Plattentektonik revolutionierte die Sichtweise der Geologen, die Erde zu betrachten, nachhaltig. Es gibt kaum einen Bereich der geologischen Forschung, der nicht von ihr betroffen ist. Wie die Evolutionstheorie in der Biologie, so ist das vereinigende Konzept der Geologie die Plattentektonik.

PLATTENTEKTONIK

Die Theorie der Plattentektonik besagt, dass die äußere starre Schicht der Erde (die Lithosphäre) in etwa ein Dutzend „Platten" unterteilt ist, die sich relativ zueinander über die Erde bewegen, wie Eisschollen auf einem See.

Angetrieben durch aus dem Erdmantel aufsteigende Gesteinsschmelzen schieben sich die Platten aneinander vorbei, stoßen zusammen oder driften auseinander. Die geologisch interessanten Prozesse spielen sich an den Plattengrenzen ab. Dazu gehören Erdbeben, die Entstehung von Vulkanen, das Austreten magmatischer Gesteine, großflächige Umwandlungen von Gesteinen (Regionalmetamorphosen) und Gebirgsbildungsprozesse. Die inneren Plattenregionen sind dagegen geologisch betrachtet geradezu langweilig.

PLATTENTEKTONIK UND DIE ENTWICKLUNG DER ERDE

Neben diesen Grundmechanismen der Plattentektonik gibt es einige bedeutende Sachverhalte, deren Ursprung in diesem Prozess liegt. Einer von ihnen ist die Erkenntnis, dass plattentektonische Prozesse die Entwicklungsgeschichte der Erde bestimmt haben. Als die Erde entstand, befanden sich auf ihr noch keine Kontinente; sie bestand lediglich aus wenigen magmatischen Gesteinen, deren Zusammensetzung grob mit der des Mondes vergleichbar ist. Erst durch plattentektonische Prozesse bildeten sich vulkanische Inselketten, die sich allmählich ausdehnten, bis sie die großen Landmassen formten, auf denen wir heute leben.

Ein zweiter wichtiger Sachverhalt, dessen Ursprung in der Plattentek-

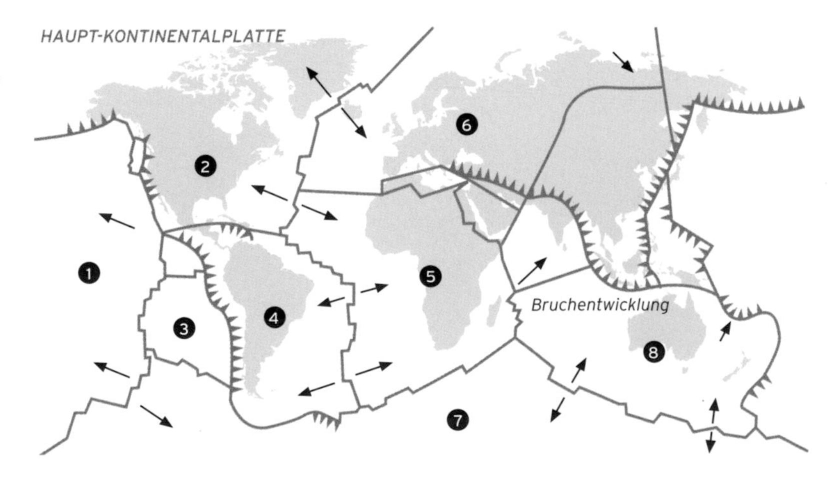

KARTE DER HEUTIGEN PLATTENGRENZEN
Nach der Theorie der Plattentektonik liegt die starre Außenschicht der Erde, die Lithosphäre, als ein Mosaik von zerbrochenen Platten vor, die sich langsam über einer weniger starren Schicht, der Asthenosphäre, bewegen. Dort, wo die Platten aneinander grenzen, laufen wichtige geologische Prozesse ab, wie die Bildung von Gebirgsketten, Erdbeben und Vulkanen.

1. *Pazfische Platte*
2. *Nordamerikanische Kontinentalplatte*
3. *Nasca-Platte*
4. *Südamerikanische Kontinentalplatt*
5. *Afrikanische Kontinentalplatte*
6. *Eurasische Kontinentalplatte*
7. *Antarktische Kontinentalplatte*
8. *Indoaustralische Platte*

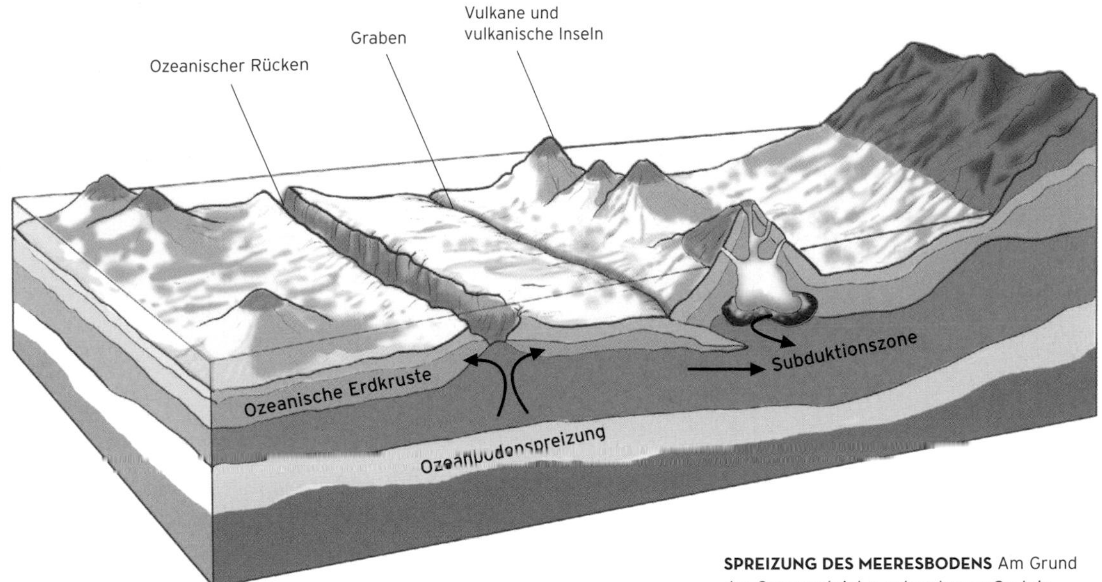

SPREIZUNG DES MEERESBODENS Am Grund des Ozeans steigt geschmolzenes Gestein entlang einer Naht in der Erdkruste aus dem Erdmantel auf und schiebt dadurch den Meeresboden auseinander. Am Kontinentalrand taucht der überschüssige Teil der ozeanischen Kruste in den Erdmantel ab und wird dabei geschmolzen.

tonik liegt, besteht darin, dass sich die Kontinente, als sie mit der Zeit größer wurden, abwechselnd zu Riesenkontinenten zusammenfügten und danach wieder in kleinere Einzelkontinente zerbrachen. Der bisher letzte dieser alle Landmassen zusammenfassenden Riesenkontinente war Pangaea. Er bildete sich vor etwa 300 Millionen Jahren, als die Einzelkontinente miteinander zusammenstießen. Während seiner Existenz gab es nur diesen einen großen Kontinent, der von dem Ozean mit Namen Panthalassa umgeben war. Als sich Pangaea vor ungefähr 230 Millionen Jahren wieder zu teilen begann, bildete sich zunächst zwischen den auseinander driftenden Landmassen der Atlantische Ozean. Im weiteren Verlauf der Erdgeschichte zerbrachen die Landmassen in weitere Elemente und verteilten sich nunmehr über den Globus - ein Prozess, der bis heute anhält.

Vereinfachend können wir folgende Überlegungen anstellen: Der heutige Atlantische Ozean weitet sich permanent, indem sich der Meeresboden durch aufsteigende Gesteinsschmelzen entlang einer Naht spreizt, die fast von Pol zu Pol verläuft. Da die Erde kugelförmig ist, wird die Erdkruste zwangsläufig an anderer Stelle zusammengeschoben und zwar im Pazifischen Ozean: Hier schiebt sich die ozeanische Erdkruste an verschieden Stellen unter die Kontinentalplatten, so dass sich der Pazifik zunehmend verkleinert. Irgendwann in der Zukunft wird sich der Pazifische Ozean vollständig schließen, und Asien und Nordamerika werden zusammenstoßen und einen neuen Riesenkontinent bilden.

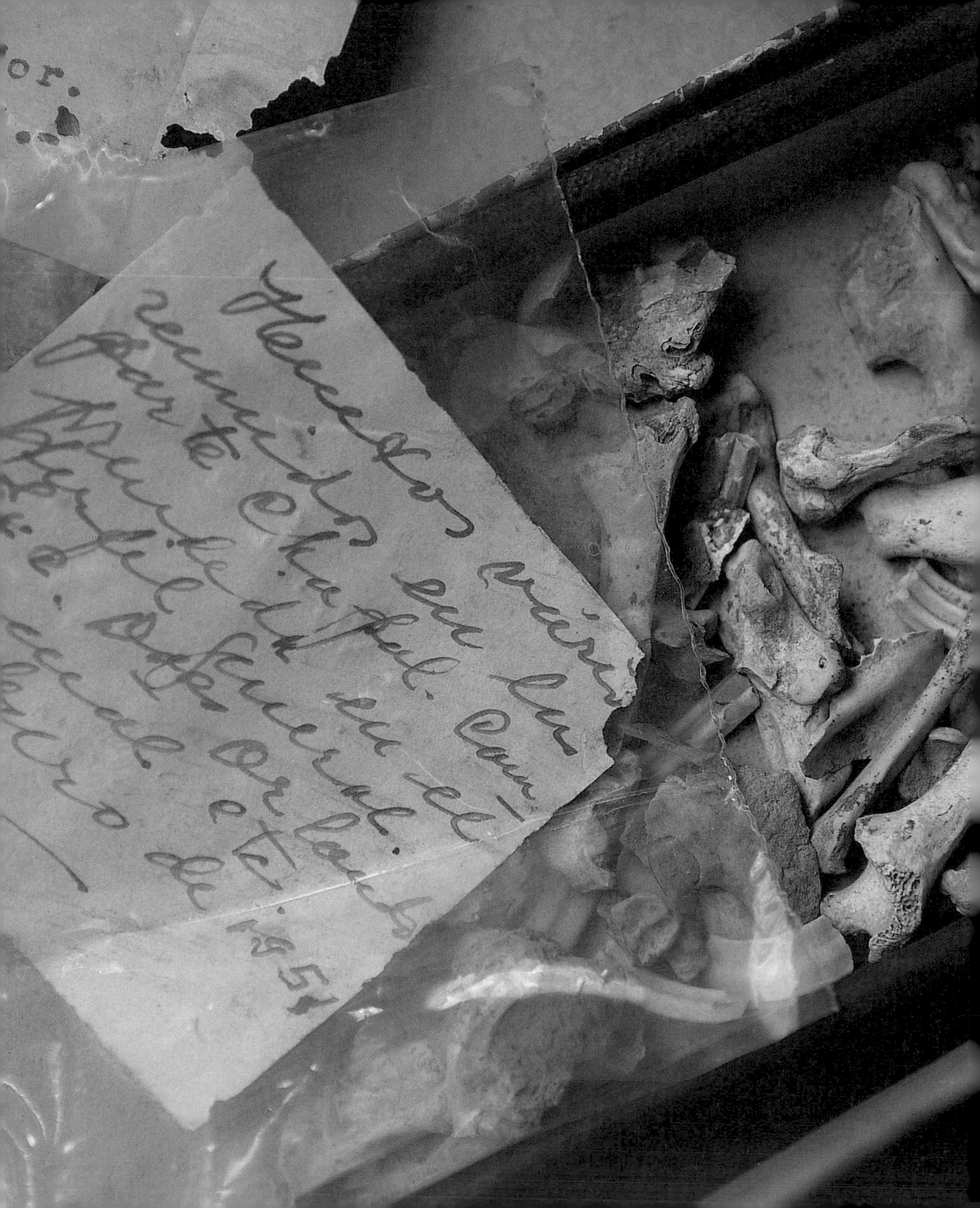

3.

PALÄONTOLOGIE IN ARGENTINIEN

Vor fast 200 Jahren, 1841, prägte Sir Richard Owen, ein britischer Anatom, den Namen „Dinosaurier". Die Geschichte begann mit der Jahresversammlung der „British Association for the Advancement of Science". Owen wurde beauftragt, alle Informationen über Reptilien zusammenzutragen, die von der britischen Insel beschrieben wurden. Da Owen ein erfahrener Anatom war, konnte er drei fossile Reptiliengattungen identifizieren, die sich völlig von jedem bis dahin bekannten lebenden Tier oder Fossil unterschieden: *Megalosaurus*, *Iguanodon* und *Hylaeosaurus*. Die versteinerten Knochen der Tiere ließen darauf schließen, dass es sich bei ihnen um Lebewesen gehandelt haben musste, die etwa so groß waren wie Elefanten. So gab er ihnen den Namen „Dinosaurier", nach den griechischen Worten „deinos" und „sauros", die übersetzt „schreckliche Echsen" bedeuten. Wie Owen feststellen konnte, standen die Beine der Dinosaurier nicht wie bei Echsen seitlich vom Körper ab, sondern waren wie bei Säugetieren unter den Körper gestellt. Daraus folgerte er, dass diese eigentümlichen Reptilien, mit heute lebenden großen Säugetieren, wie Elefanten, Flusspferden oder Nashörnern nahe verwandt seien. Während sich Owens Einschätzung der Verwandtschaftsbeziehung im Nachhinein als falsch erwies, bestätigte sich seine Rekonstruktion der Beinstellung.

Richard Owen (1804-1892) prägte den Namen „Dinosaurier". Der führende vergleichende Anatom wurde der erste Leiter des British Museum of Natural History in London (oben). Zwischen 1852 und 1854 erstellten Richard Owen und der Bildhauer Waterhouse Hawkins verschiedene lebensgroße Rekonstruktionen von Dinosauriern für den „Crystal Palace". Unmittelbar vor der Fertigstellung einer dieser Skulpturen organisierte Owen ein spezielles Dinner für zwanzig Personen inmitten des noch unvollständigen Körpers eines *Iguanodon* (unten).

FOSSILIENJÄGER IN ARGENTINIEN

Argentinien ist ein Land mit einer langen und anerkannten Tradition der Naturwissenschaften, insbesondere der Paläontologie. Diese paläontologische Tradition wurde u.a. durch bekannte deutsche Forscher und Naturwissenschaftler ausgelöst, die gegen Ende des 19. Jahrhunderts nach Argentinien kamen. Um sich einige der wichtigsten von ihnen in Erinnerung zu rufen, seien unter vielen anderen Guillermo Bodenbender, Carlos Burmeister, Pablo Groeber, Alfredo Stelzner, Luis Brackebusch, Hendrik Weyenberg und Federico Kurtz erwähnt. Viele von ihnen ließen sich in

Argentinien nieder oder unterrichteten Schüler, die diese naturwissenschaftliche Tradition bis heute fortführen.

Anders als in den Vereinigten Staaten oder vielen europäischen Ländern, spielten zu Anfang der argentinischen Wirbeltierpaläontologie Dinosaurier paradoxerweise kaum eine Rolle. Hier begann die Geschichte mit dem 1854 in der Provinz Buenos Aires geborenen Paläontologen Florentino Ameghino, der während seiner mehr als fünfzigjährigen Tätigkeit, zusammen mit seinem Bruders Carlos Ameghino, im ganzen Land nach Fossilien suchte und dabei über 6.000 Arten entdeckte - aber keine Dinosaurier, sondern Überreste von fossilen Säugetieren. Charles Darwin berichtete bereits in seinem Buch „The voyages of the Adventure of the Beagle" über Fossilfunde von Säugetieren, die er während seines Aufenthalts in Argentinien in der Nähe von Punta Alta entdeckte.

1916 kam Lucas Kraglievich an das „Museo Argentino de Ciencias Naturales" (heute: Museo Argentino de Ciencias Naturales „Bernardino Rivadavia"), wo Carlos Ameghino, der Direktor des Instituts, sein Lehrer wurde. Nach dem Ende der Amtszeit Ameghinos war Kraglievich von 1925 bis 1929 Direktor des Instituts und Leiter der Paläontologischen Abteilung. Er veröffentlichte viele wissenschaftliche Artikel, die dazu beitrugen, die Evolution der südamerikanischen fossilen Tierwelt zu verstehen.

Offizielle Eröffnung des Museo de La Plata im Jahre 1886.

Osvaldo Reig war eine weitere historische Säule der Paläontologie in Argentinien. Angel Cabrera, ein Zoologe, und Pablo Groeber, ein deutscher Geologe, waren seine bedeutendsten Lehrer, als er in La Plata studierte. 1958 gründete Reig das Präparationslabor für Fossile Wirbeltiere am „Institute Miguel Lillo" in Tucumán, das für viele Jahre zu einem der wichtigsten paläontologischen Angelpunkte des Landes wurde. Er leistete einen wertvollen naturwissenschaftlichen Beitrag zur Populationsgenetik von Wirbeltieren - das Forschungsgebiet, mit dem er sich zuletzt beschäftigte. Daneben lieferte er auch wichtige Beiträge zur Paläontologie sowie zur historischen und systematischen Biogeographie von Säugetieren.

Der Tradition Florentino Ameghinos folgend, begann Ende der 1960er Jahre ein junger Paläontologe namens Rosendo Pascual seine Forschungstätigkeit mit der Untersuchung der fossilen Säugetiere der Erdneuzeit (Känozoikum) Argentiniens. Durch seinen unermüdlichen Enthusiasmus bei der wissenschaftlichen Bearbeitung der Sammlungen des Museums von La Plata, wurde er schließlich zu einer der bedeutenden Säulen der modernen Wirbeltierpaläontologie. Aber auch Pascual wandte sich nicht den Dinosauriern zu. Sein wissenschaftlicher Beitrag blieb auf die Erforschung der fossilen Tierwelt der Erdneuzeit beschränkt.

Geländearbeiten in Patagonien 1958. Auf dem Bild sind Señor Parodi und Señor Casamiquela zu sehen, zwei hervorragende Fossiliensammler, die in den frühen 1960er Jahren auch an der Erforschung triassischer Gesteine im Ischigualasto-Park beteiligt waren.

Zuletzt wenden wir uns einem der wichtigsten Dinosaurier-Fossiliensucher der Welt zu, der als Hauptverantwortlicher für die gewaltige Entwicklung der Wirbeltierpaläontologie und die Erforschung des Erdmittelalters (Mesozoikum) Argentiniens gilt: José Fernando Bonaparte. Der amerikanische Paläontologe Robert Bakker nannte Bonaparte nicht

umsonst den „Meister des Mesozoikums" und befand damit, dass dessen argentinische Fossilfunde das Wissen über die Geschichte der Dinosaurier enorm gewandelt hatten. Ab 1959 wendete Bonaparte seine wissenschaftliche Tätigkeit den Wirbeltieren des Erdmittelalters zu, deren Erforschung zu dieser Zeit in Südamerika nur schwerlich voranschritt. Während seiner Arbeit für das Lillo-Institut in Tucumán stellte er eine der wichtigsten triassischen Wirbeltiersammlungen der Welt zusammen und beschrieb diese. Von 1963 bis in die Mitte der 1970er Jahre erforschte er die drei fossilienreichsten Einheiten des Ischigualasto-Talampaya-Beckens und führte damit die Arbeiten fort, die der bedeutende US-amerikanische Paläontologe Prof. Alfred Romer 1958 begonnen hatte. Gegen Ende der 1970er Jahre wurde Bonaparte vom „Museo Bernardino Rivadavia" mit der Leitung der Abteilung für Wirbeltierpaläontologie beauftragt. Damit begann eine Reihe erfolgreicher Grabungskampagnen in den jurassischen und kreidezeitlichen Ablagerungen Patagoniens, die zur Entdeckung einer bis dahin völlig neuen Tierwelt führte. Diese barg nicht nur Dinosaurier, sondern auch kreidezeitliche Säugetiere, die für die Tierwelt des Erdmittelalters auf dem Südkontinent Gondwana kennzeichnend sind.

Blick vom alten See auf die Fassade des neu eröffneten Museo de La Plata im Jahre 1886. Heute befindet sich an der Stelle des Sees der Städtische Zoo.

José Bonaparte, einer der bedeutendsten Dinosaurier-Jäger der Geschichte, erforschte viele Dinosaurier-Fundstellen in Argentinien und Brasilien. Auf dem Foto zeigt er das gerade in den jurassischen Gesteinen Patagoniens gefundene Skelett eines *Patagosaurus*.

DIE AN DER AUSSTELLUNG „DINOSAURIER - GIGANTEN ARGENTINIENS“ BETEILIGTEN ARGENTINISCHEN MUSEEN

❶ DAS MUSEO DE CIENCIAS NATURALES DE LA UNIVERSIDAD NATIONAL DE SAN JUAN
San Juan

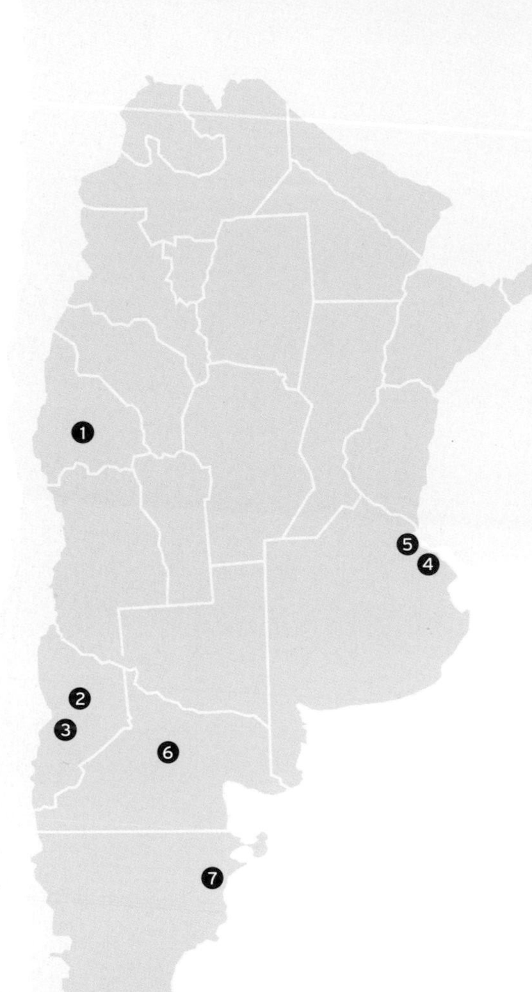

❷ DAS MUSEO MUNICIPAL „CARMEN FUNES“
Neuquén

❸ DAS MUSEO MUNICIPAL „ERNESTO BACHMANN“
Neuquén

Karte von Argentinien mit Lagebeschreibung der Museen, die sich an der Ausstellung „Dinosaurier – Giganten Argentiniens“ beteiligt haben.

❹ DAS MUSEO DE LA PLATA
Buenos Aires

❺ DAS MUSEO ARGENTINO DE CIENCIAS NATURALES „BERNARDINO RIVADAVIA“
Buenos Aire

❻ DAS MUSEO PALEONTOLÓGICO DE LAMARQUE
Río Negro

❼ DAS MUSEO PALEONTOLÓGICO „EGIDIO FERUGLIO“ MEF
Chubút

DAS MUSEO ARGENTINO DE CIENCIAS NATURALES „BERNARDINO RIVADAVIA“

GESCHICHTE

Die Entstehungsgeschichte des „Museo Argentino de Ciencias Naturales" geht zurück auf das Jahr 1812, als die Präsidenten des „Ersten Triumvirats", angeregt von Bernardino Rivadavia, die Provinzen aufforderten, Material für die Errichtung eines Naturhistorischen Museums zusammenzutragen, das in der Hauptstadt entstehen sollte. Die Umsetzung wurde aber erst 1823 durch einen Beschluss in Gang gesetzt, den Rivadavia unterzeichnete, als er Minister unter Martin Rodriguez war. Während seines langen Bestehens war das Museum in Zellen der oberen Etagen des Klosters von Santo Domingo, in der Manzana de las Luces sowie in einigen Gebäuden an der Avenida Monserrat untergebracht, bis es 1937 schließlich in sein heutiges Gebäude einzog, das nach den damaligen architektonischen Maßstäben für europäische wissenschaftliche Museen erbaut wurde.

BESCHREIBUNG

Im Eingangsbereich des Museum wird der Besucher von der Büste des Institutsgründers Bernardino Rivadavia begrüßt. Daneben ist ein riesiger Meteorit ausgestellt, der einst auf argentinischem Boden einschlug. Er verweist auf den Eingang zur geologischen Ausstellung. In einem erst kürzlich eröffneten Themenraum sind Modelle von großen Fischen in Lebensgröße zu sehen. Unter anderem ein Riesenhai und verschiedene große Rochen. Die paläontologische Ausstellung ist, gemessen an der Menge und Qualität des ausgestellten Originalmaterials, eine der bedeutendsten Südamerikas. Beeindruckend sind die Skelettrekonstruktionen der großen Dinosaurier aus Patagonien, deren Originalfunde von Forschern des Museums entdeckt wurden. Die Antarktis-Ausstellung, die eine reiche Vielfalt an Organismen erkennen lässt, zeigt eine

LAGE Das Museum Bernardino Rivadavia befindet sich in Buenos Aires an der Avenida Angel Gallardo 470 in unmittelbarerer Nähe des Centenario Parks im Stadtteil Caballito.

Skelett eines *Lagosuchus talampayensis* in der Dinosaurierhalle des Museo Argentino de Ciencias Naturales „Bernardino Rivadavia".

Küstenszenerie mit einem Pelzrobbenpärchen. Seesterne und Kugelfische, Krabben und Muscheln sowie Fische und Vögel bewohnen diesen Lebensraum. Ganz in der Nähe ist der riesige Schädel eines Pottwals ausgestellt. Der Ausstellungsraum „Natur in der Kunst" wird überwiegend für Sonderausstellungen genutzt, die eine Brücke zwischen Kunst und Natur schlagen. Anhand zahlreicher Exponate und erläuternden Schautafeln informiert die Abteilung „Amphibien und Reptilien" über die Vielfalt von Kröten, Fröschen, Schildkröten, Alligatoren, Eidechsen und Schlangen, der einheimischen Tierwelt. In der Ausstellung der eiszeitlichen Säugetiere sind interessante und wertvolle Originalexemplare fossiler Säugetiere zu sehen, die vor 10.000 Jahren in Südamerika lebten. In der botanischen Ausstellung kann der Besucher, unterstützt durch informative Schaubilder, die Evolution und Vielfalt der Pflanzenwelt von mikroskopisch kleinen Formen bis hin zu den höchstentwickelten Pflanzen erkunden. Vergrößerte Modelle zeigen das Leben in einem Wassertropfen.

Dinosaurierhalle (links) und Innenansicht (rechts) des Museo Argentino de Ciencias Naturales „Bernardino Rivadavia".

DAS MUSEO DE LA PLATA

GESCHICHTE

Die Geschichte des Museums von La Plata begann im Jahr 1877 mit der Verabschiedung eines Gesetzes, das die Einrichtung eines Anthropologischen und Archäologischen Museums in Buenos Aires vorsah. Der Gründer war Francisco Pascasio Moreno, ein 25-jähriger, junger Autodidakt und eifriger Sammler von Fossilien und archäologischen Gegenständen. Als sich die Regierung in der neuen Hauptstadt niederließ, bestand einer der ersten verabschiedeten Beschlüsse in dem Umzug des Anthroplogischen und Archäologischen Museums von Moreno nach La Plata. Die Sammlungen wurden zunächst in zahlreichen Räumlichkeiten zwischengelagert, bevor sie schließlich im oberen Stockwerk des Banco Hipotecario Gebäudes untergebracht wurden. 1884 begann der Bau, und im Juli 1885 wurde ein Teil des Gebäudes eröffnet. Die endgültige Eröffnung fand im Jahre 1888 statt.

BESCHREIBUNG

Das Museum von La Plata ist ein Naturhistorisches Museum, das, wie andere Museen dieser Art, humanwissenschaftliche Gebiete, wie Archäologie, Anthropologie und Ethnologie, einschließt. Die Dauerausstellung ist in 21 Räumen untergebracht. Sie gibt einen Einblick in die Naturhistorie, beginnend mit der unbelebten Materie, über die Entwicklungsgeschichte der Lebewesen bis hin zum Menschen und seiner Kultur. Diese Räume befinden sich im Erdgeschoss und im 1. Obergeschoss des Museums, wo allerdings nur ein kleiner Teil der gesamten Sammlung ausgestellt ist. Aus den unterschiedlichen naturwissenschaftlichen Gebieten gibt es rund 2.500.000 Sammlungsobjekte, die aus Ankäufen und Schenkungen stammen, hauptsächlich aber aus Feldsammlungen von Forschern des Museums. Daneben präsentiert das Museum regelmäßig zeitlich begrenzte Sonderausstellungen. Ziel ist hierbei, kleine Sammlungen oder besondere Exponate vorzustellen, die bedeutsam und wichtig sind. Das Museum von La Plata bietet durch seinen Museumspädagogischen Dienst spezielle Ausstellungen und dazu passende Führungen an, die ohne Ausnahme für alle Gesellschaftsschichten zugänglich sind, damit grundsätzlich jeder Einblick in das wert-

LAGE Das Museo de La Plata befindet sich im Stadtkern von La Plata, im berühmten Paseo del Bosque, in der Provinz Buenos Aires, 60 km von Buenos Aires entfernt. Von hieraus bestehen günstige Verkehrsverbindungen nach La Plata über den Highway und öffentliche Verkehrsmittel.

Originale Dinosaurierknochen (links) und Hals einer lebensgroßen *Diplodocus*-Rekonstruktion, ausgestellt im Museo de La Plata.

Im Museo de La Plata ausgestellte Original-Knochen, die in den vergangenen Jahrhunderten gesammelt wurden.

volle Erbe erhalten kann, das die Institution aufbewahrt. Seit 1989 wird jährlich eine besondere Ausstellung für Blinde und kurzsichtige Menschen mit ausgewählten und entsprechend montierten Ausstellungsstücken entwickelt. Diese Ausstellungen, die von Programmen des Museumspädagogischen Dienstes begleitet werden, beschäftigen sich in jedem Jahr mit einem anderen Thema. Auch Sonderführungen für Taube und Taubstumme in Gebärdensprache, vom Museumspädagogischen Dienst begleitet, sowie Führungen für leicht geistig und körperlich Behinderte, Risikogruppen, psychisch Kranke, Suchtpatienten und Gefängenisinsassen werden angeboten. Die Ausstellungsräume zeigen hauptsächlich Elemente der Fauna, Flora, Geologie und Kultur Südamerikas.

DAS MUSEO DE CIENCIAS NATURALES DE LA UNIVERSIDAD NATIONAL DE SAN JUAN

GESCHICHTE

Das Naturhistorische Museum der Nationalen Universität in San Juan wurde 1971 gegründet, um die paläontologischen Sammlungen der Trias von Ischigualasto aufzubewahren. Am Anfang war das Museum in einem Gebäude neben der Grundschule im Zentrum von San Juan untergebracht. 1997 zog es in sein heutiges Gebäude, einen alten Bahnhof, um.

BESCHREIBUNG

In den im Jahre 2009 neu gestalteten Ausstellungsbereichen werden nach der Wiedereröffnung zum ersten Mal auf über 2.000 m^2 Ausstellungsfläche die Tiere und Lebens-räume der Triaszeit des südlichen Teils des Riesenkontinents Pangaea zu sehen sein. Die Ausstellung wird aus 26 lebensechten Modellen in sieben Szenerien bestehen. Daneben werden 16 montierte Skelette der wesentlichen Vertreter triassischer Wirbeltiere gezeigt, darunter die ältesten bekannten Dinosaurier der Welt, Exponate von frühen Verwandten der Säugetiere und eine Auswahl beeindruckender, nie zuvor ausgestellter Exemplare der weltweit vollständigsten Sammlung fossiler Krokodilvorfahren. Zudem wird eine mannigfaltige Sammlung von Gesteinen und Mineralien der Provinz San Juan zu sehen sein. Als besondere Attraktion kann im Hauptgebäude des Museums den Präparatoren und Technikern durch eine große Glasscheibe bei der Arbeit zugeschaut werden.

Herstellung von lebensechten Dinosauriermodellen im Labor des Museo de Ciencias Naturales in San Juan.

LAGE Das Naturhistorische Museum der Nationalen Universität in San Juan liegt an der Avenida España Norte 400, Ecke Maipú Oeste.

Blick in die Labore und die Werkstatt des Museo de Ciencias Naturales in San Juan, in der die Skelette zusammengebaut werden

DAS MUSEO PALEONTOLÓGICO „EGIDIO FERUGLIO“ (MEF)

LAGE Das Museo Paleontológico „Egidio Feruglio" befindet sich an der Avenida Fontana 140 der Stadt Trelew, in Chubut, einer Provinz Patagoniens.

GESCHICHTE

Das Paläontologische Museum „Egidio Feruglio" wurde 1988 durch die Behörden der Stadt Trelew gegründet. Sein erster Hauptsitz im Gebäude eines alten Möbelgeschäfts im Stadtkern von Trelew wurde im Dezember 1990 eröffnet. Im Juni 1999 wurde das MEF in seinem neuen und endgültigen Gebäude wiedereröffnet. Es ist eine der wichtigsten Museumsplanungen der letzten 50 Jahre in Argentinien und die bedeutendste öffentliche Einrichtung in Trelew.

BESCHREIBUNG

Das Paläontologische Museum „Egidio Feruglio" beherbergt eines der bedeutendsten Forschungszentren Patagoniens, das den Besuchern einen Einblick in den aktuellen Stand der Wissenschaft gewährt. Seine Ausstellungen und Angebote sind das Ergebnis der Arbeit kreativer Paläontologen, die sich zum Ziel gesetzt haben, das Verständnis für komplexe Zusammenhänge in der Natur, wie die Evolution des Lebens, zu fördern. Auf einer Zeitreise in die Vergangenheit wird die Entwicklungsgeschichte der Lebewesen erzählt, die im Verlauf von Millionen von Jahren in Patagonien existierten. Auf diese Weise gewinnt der Besucher ein Gefühl für die zeitlichen Dimensionen der Erdgeschichte und nimmt das gegenwärtige Leben als Teil eines natürlichen Ablaufs wahr. Die Dauerausstellung des Museums ist als eine Reise entlang eines Zeitstrahls in die Vergangenheit angelegt, die mit den ersten Menschen Patagoniens beginnend, zurück zu der Entstehung des Universums führt. Dabei werden an jeder Station dieser Zeitreise entscheidende Momente der Erdgeschichte verständlich gemacht. Die Sammlung des Paläontologischen Museums besteht aus über 10.000 Objekten, von denen die meisten aus Patagonien stammen, wo der Schwerpunkt der Forschungsaktivitäten des Forschungszentrums liegt.

Urzeitliche Rekonstruktionen in der Fossilien-Ausstellung (links) und die Dinosaurierhalle (rechts) des Museo Paleontológico „Egidio Feruglio".

DAS MUSEO MUNICIPAL „CARMEN FUNES“

GESCHICHTE

Im November 1982 wurde im Rathaus von Plaza Huincul die Gründung des Städtischen Museums „Carmen Funes" beschlossen. Im Jahr 1989 begann man schließlich mit der Einrichtung der wirbeltierpaläontologischen Sammlung, die heute über 700 Fossilien beherbergt. Mitte des Jahres 1995 wurde das Museum in ein ehemaliges Schulgebäude umgesiedelt und im September 2003 wiedereröffnet. In den folgenden Jahren entwickelte sich das Museum kontinuierlich weiter, sowohl in seiner Infrastruktur, als auch in der Zahl der Mitarbeiter, seinen wissenschaftlichen Aktivitäten und bezüglich der Besucherzahl. 21 Jahre nach seiner Gründung ist es zu einer wichtigen wissenschaftlichen und pädagogischen Institution geworden. Mit der Schaffung neuer Stellen für wissenschaftliche Mitarbeiter, durch die eine Erhöhung der Bandbreite an Forschungsprojekten möglich wurde, konnte diese Tendenz weiter gefördert werden.

LAGE Das Museo Municipal „Carmen Funes" liegt an der Nationalstraße 22 an der Kreuzung zwischen der Avenida Cutral Có und der Avenida Schreiberg im Departamento Confluencia der Provinz Neuquén in Patagonien.

BESCHREIBUNG

Das Museum zeigt auf einer Ausstellungsfläche von 2.500 m² eine einzigartige Sammlung von Dinosaurierskeletten und anderen fossilen Tieren, darunter das Typusexemplar des größten Dinosauriers der Welt: *Argentinosaurus*. Es verfügt über einen Hörsaal für 100 Personen, Arbeitsräume, Werkstätten, Verwaltungsbüros und eine der differenziertesten paläontologischen Sammlungen Nordpatagoniens. Mit Hilfe dieser Infrastruktur kann den Besuchern immer der aktuelle Stand der Forschung vermittelt werden. Dies macht das Museum zu einem pädagogischen Werkzeug, nicht nur für Touristen, sondern auch für Lehrer und Schüler unterschiedlicher Altersstufen. Im Winter stellt das Museum ein interessantes Ausflugziel für diejenigen dar, die sich zu einem Besuch der touristischen Zentren im Süden der Provinz entschließen.

Argentinosaurus huinculensis und *Giganotosaurus carolinii*

DAS MUSEO MUNICIPAL „ERNESTO BACHMANN“

LAGE Das Museo Municipal „Ernesto Bachmann“ befindet sich in Villa El Chocón, 80 km südwestlich der Stadt Neuquén in der gleichnamigen Provinz Neuquén in Patagonien.

GESCHICHTE

Das Städtische Museums „Ernesto Bachmann“ von El Chocón wurde im Juli 1997 eröffnet. Seinen Name trägt es seit dem Jahr 1999 zu Ehren von Ernesto Bachmann (1894-1970), einem leidenschaftlichen Sammler von Fossilien und archäologischen Objekten. Seine Entdeckungen waren so bedeutend, dass er für die Region El Chocón zum örtlichen Delegierten des renommierten Museums von La Plata ernannt wurde. Die Gegend birgt zahlreiche Fossilien, darunter Reste von versteinerten Baumstämmen, Amphibien, Schildkröten und vor allem Skelette und Fußspuren unterschiedlicher Dinosaurier.

BESCHREIBUNG

Im Städtischen Museum „Ernesto Bachmann“ sind zahlreiche Zeugnisse vergangener Zeitepochen ausgestellt. Im ersten Raum, in dem die geologischen und paläontologischen Gegebenheiten der Region dargestellt sind, wird der Besucher auf die folgenden Ausstellungsbereiche vorbereitet, die sich unterschiedlichen Themen widmen. Das Highlight des Museums ist zweifellos die Inszenierung der Fundsituation der originalen Überreste des größten Raubsauriers der Welt: *Giganotosaurus carolinii*. Das zu 80% erhaltene Skelett wurde 1993, 18 Kilometer südlich von El Chocón entdeckt. Um sich diesen Giganten besser vorstellen zu können, ist in einem anderen Raum eine Nachbildung des Exemplars als stehend montiertes Skelett zu sehen. Noch mehr montierte Skelettabgüsse unterschiedlicher Dinosaurier sind in einem weiteren Raum ausgestellt, darunter ein Skelett des mit Hörnern über den Augen ausgestatteten Raubsauriers *Carnotaurus sastrei*. Beeindruckend ist das lebensechte Modell eines Abelisauriers in Originalgröße. In den Vitrinen im Gang können viele Überreste anderer Funde aus der Region bewundert werden. Für Kinder bietet das Museum die Möglichkeit, für einen Tag selbst Paläontologe zu sein und mit entsprechender Ausrüstung, die vor Ort geliehen werden kann, in einem eigens dafür vorgesehenen sandigen Terrain selbst Knochen auszugraben.

Skelett des *Giganotosaurus* im Museuo Municipal „Ernesto Bachmann“ in der Provinz Neuquén.

DAS MUSEO PALEONTOLÓGICO DE LAMARQUE

GESCHICHTE

Die Idee, in der nordpatagonischen Stadt Lamarque ein Städtisches Paläontologisches Museum entstehen zu lassen, geht auf die Initiative einer Gruppe engagierter Bürger zurück, die sich leidenschaftlich für Paläontologie und die Erdgeschichte interessierte. Angezogen von den zahlreichen Entdeckungen bedeutender und z.T. einzigartiger Funde von Meeressauriern, wendeten sich Paläontologen des Museums von La Plata den lokalen Fundgebieten zu und begannen die Fossilien zu beschreiben und damit der wissenschaftlichen Welt erstmals zugänglich zu machen. Der Entschlossenheit und der Kreativität dieser Gruppe von Bürgern der Stadt Lamarque ist es zu verdanken, dass schließlich mit dem Beginn des 21. Jahrhunderts vom Gemeinderat die Gründung des Paläontologischen Museums beschlossen wurde. Das Museum wird auch heute noch durch das private Engagement zahlreicher freiwilliger Mitarbeiter unterstützt.

BESCHREIBUNG

Das Museum besitzt eine wertvolle Sammlung fossiler Plesiosaurier und Mosasaurier, bei der es sich vermutlich um eine der bedeutendsten ihrer Art in Südamerika handelt. Zudem verfügt das Museum über fossile Überreste von Schlangen, Vögeln, Schildkröten und eine Vielzahl von Fischen, die aus kreidezeitlichen Ablagerungen der Region stammen. Nicht zu vergessen sind die zahlreichen Funde von fossilen Raubsauriern (Theropoden) und Langhalssauriern (Sauropoden). Das Paläontologische Museum von Lamarque ist Bestandteil eines Zusammenschlusses von patagonischen Museen und Geoparks, die fossilienführende Gesteinsschichten mit Überresten von Dinosauriern enthalten. Es gilt als einer der attraktivsten Anziehungspunkte für Touristen im Valle Medio in der Provinz Río Negro und wird allgemein als grundlegende Säule des Kulturtourismus der Region angesehen. Heute zählt das Museum jährlich über 7.000 Besucher, die aus dem ganzen Land anreisen.

LAGE Das Museo Paleontológico de Lamarque befindet sich an der Calle Libertad zwischen Rivadavia und San Martín in Lamarque im Verwaltungsbezirk Avellaneda der Provinz Río Negro in Patagonien.

4.

DIE TRIAS

Die Epoche der Trias leitet das Zeitalter der Dinosaurier ein – eine Welt wahrlich fantastischer Geschöpfe. Sie markiert den Startpunkt einer langen Entwicklungsgeschichte, die letztendlich auf dem Land zu den ökologischen Verhältnissen führte, wie wir sie heute vorfinden. Es war eine Zeit, in der sich Ursprüngliches mit Neuem mischte. Die Trias kann zeitlich in vier unterschiedliche Abschnitte gegliedert werden. Zur Zeit des ersten Abschnittes existierte nur ein einziger großer Kontinent, Pangaea, auf dem ein trocken-heißes Klima herrschte. Dieser war von einem riesigen Ozean umgeben. Die Pole waren nicht vereist. Die spärliche Tier- und Pflanzenwelt, die auf dem Kontinent und im Meer anzutreffen war, bestand aus den Überlebenden des Massenaussterbens am Ende der vorangegangenen Zeitepoche, des Perm. Im nächsten Zeitabschnitt war die Landwirbeltierfauna vor allem von Vertretern zweier Tiergruppen geprägt den Therapsiden, den Nachfahren der säugetierähnlichen Reptilien, die sich nach der Aussterbewelle am Ende des Perm wieder etablierten, sowie den gerade erst aufgetretenen Archosauriern. Aus diesen gingen im dritten Zeitabschnitt zum einen krokodilähnliche Landraubtiere hervor und zum anderen die ersten Dinosaurier, wie *Eoraptor* und *Herrerasaurus*. Im letzten Zeitabschnitt, der von einer Zunahme des trocken-heißen Klimas, kleineren Aussterbeereignissen und dem Rückgang der Therapsiden begleitet war, herrschten an Land große krokodilartige Raubtiere, und erstmals in der Geschichte traten dort gewaltige Pflanzen fressende Lebewesen auf: die Prosauropoden oder Vor-Langhalssaurier.

GEGENÜBERLIEGENDE SEITE Obertriassische Ablagerungen der Ischigualasto Formation im Ischigualasto Nationalpark. Diese Gesteine enthalten die ältesten bekannten Dinosaurier.

DIE TRIAS WELTWEIT BETRACHTET

Die triassischen Gesteine der Erde sind über nahezu alle Kontinente verteilt, wobei die fossilreichsten Ablagerungen in Argentinien, Brasilien, Südafrika, den USA, Mitteleuropa, Australien, der Antarktis, Indien und

In vielerlei Hinsicht war die Trias eine Zeit der Veränderung. Zu dieser Zeit existierte der Riesenkontinent Pangaea, der Einfluss auf das globale Klima und die Meeresströmungen ausübte. Zudem folgte die Trias auf das größte Aussterbeereignis in der Geschichte des Lebens und ist damit eine Zeit, in der sich die Überlebenden dieses Massensterbens verbreiteten und die Erde neu besiedelten.

Südchina zu finden sind. Hier nun eine kurze Beschreibung der wichtigsten Vorkommen:

In der europäischen Trias finden sich fossile Landwirbeltiere, die von großer Bedeutung sind. Typische Gesteine dieser Periode sind über Deutschland, Italien, die Schweiz, Spanien, Russland, England und arktische Regionen verteilt. Diese Gesteine wurden an Land sowie im Meer in der Unteren, Mittleren und Oberen Trais abgelagert. Aus der Unteren Trias sind viele urzeitliche Amphibien bekannt, zudem einige Stammreptilien (Kotylosaurier), zahlreiche Schuppenechsen (Lepidosaurier) und Exemplare der äußerlich wie Krokodile aussehenden Phytosaurier. Die Gesteine der Mittleren Trias enthalten küstenbewohnende Schuppenechsen sowie Meeresechsen wie Ichthyosaurier, Plesiosaurier und Nothosaurier. In der Oberen Trias findet sich eine große Vielfalt unterschiedlicher Landwirbeltiere, u.a. verschiedene urzeitliche Amphibien, zahlreiche Archosaurierarten sowie Prosauropoden und Schuppenechsen (Lepidosaurier).

Wie in Argentinien, sind auch in der Oberen Trias der USA Funde fossiler Landwirbeltiere häufig, wogegen aus der Unteren Trias fast ausschließlich Fische und Amphibien überliefert sind. In den USA gibt es zwei Hauptverbreitungsgebiete für Wirbeltierfossilien - eines entlang der atlantischen Küste und ein zweites im Colorado-Plateau im Westen.

Auf dem antarktischen Kontinent waren die klimatischen Bedingungen während der Triaszeit völlig anders als heute, da der Erdteil damals in dem Riesenkontinent Pangaea integriert war und in Äquatornähe lag. Dies wird durch eine große Bandbreite von aus Flussablagerungen stammenden Gesteinen belegt, die neben Überresten urzeitlicher Amphibien und Therapsiden (Dicyonodontier und Cynodontier) eine Flut an Pflanzenfossilien der typischen triassischen Waldflora enthalten, wie etwa von *Dicroidium*-ähnlichen Samenfarnen.

In China gibt es viele triassische Gesteine, die Wirbeltierfossilien enthalten, die aber nicht ganz vollständig sind. Glücklicherweise helfen uns die chinesischen Gesteine dennoch, ein wenig mehr von diesem rätselhaften und weltweit nur lückenhaft dokumentierten Zeitabschnitt zu verste-

Paläogeographische Rekonstruktion der Erde während der Oberen Trias im Vergleich zur heutigen Verteilung der Kontinente. Die einzige große Landmasse ist der Riesenkontinent Pangaea, der im Jura auseinander zu brechen begann.

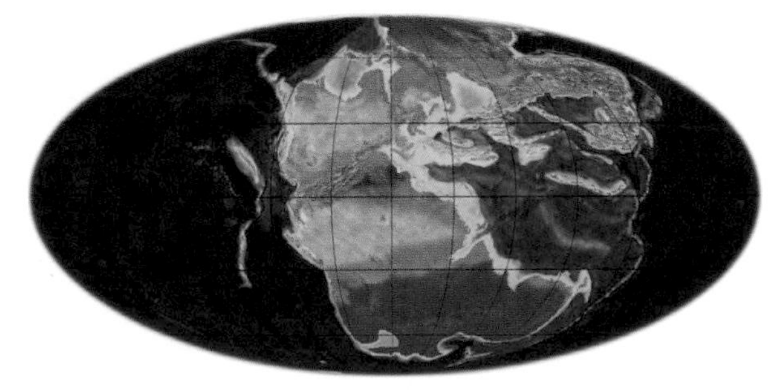

OBERE TRIAS
vor 220 Millionen Jahren

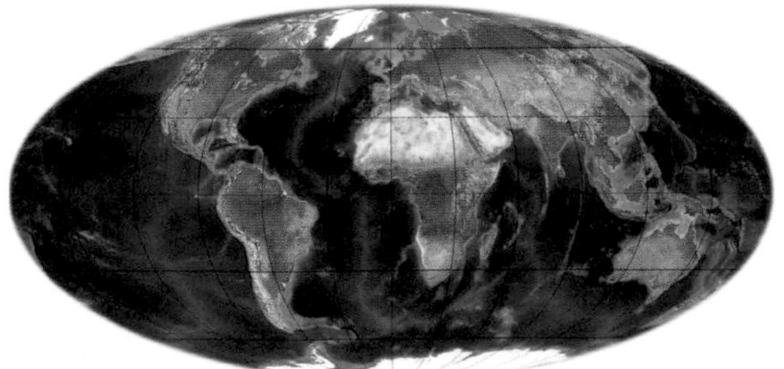

HEUTE

Suche nach Wirbeltierfossilien in Gesteinen der Deutschen Trias.

hen. Aus diesen Schichten sind Überreste von Therapsiden (Cynodontier und Dicynodontier), einigen Archosauriern sowie urzeitlichen Amphibien sehr gut bekannt. Zudem gibt es viele obertriassische Gesteine im Süden Chinas, wo u.a. Überreste von Therapsiden, Vogelbeckendinosauriern, sehr primitiven Säugetieren und Meeressauriern gefunden wurden.

Im Süden von Brasilien, im Staat Rio Grande do Sul, befindet sich das erste Gebiet, in dem methodische Untersuchungen zur Bergung triassischer Landwirbeltiere durchgeführt wurden. Die entsprechenden Gesteine sind in der untertriassischen Sargento Cabral Formation, der mittel- bis obertriassischen Santa María Formation sowie der obertriassischen Caturrita Formation ausgebildet. Sie wurden in Flussläufen, die z.T. von Schwemmfächern umgeben waren, abgelagert. Die älteren Gesteine beherbergen eine beachtliche Tierwelt urzeitlicher Amphibien sowie Überreste von Vertretern der sehr ursprünglichen Reptiliengruppe der Procolophonia. In den mittel- und obertriassischen Ablagerungen wurden häufig Therapsiden (Cynodontier und Dicynodontier), Dinosaurier und Rhynchosaurier gefunden.

Karte von Argentinien mit Fundorten triassischer Gesteine.

1 *Estancia El Tranquilo (Santa Cruz)*
2 *Paso Flores (Neuquén)*
3 *Puesto Viejo (La Rioja)*
4 *Cuenca Cuyana (La Rioja)*
5 *Cuenca de Barrial (San Juan)*
6 *Ischigualasto-Park (San Juan)*
7 *Talampaya-Park (Mendoza)*

DIE TRIAS ARGENTINIENS UND IHRE FOSSILIEN

Argentinien ist reich an Gesteinen der Trias, von denen allerdings die wenigsten Überreste von Fossilien enthalten, geschweige denn von fossilen Wirbeltieren. Zweifellos finden sich die wichtigsten triassischen Gesteine mit Überresten von fossilen Landwirbeltieren in den Provinzen San Juan und La Rioja. Die meisten von ihnen sind in einer geologischen Beckenstruktur, dem Ischigualasto - Villa Unión-Becken oder Ischigualasto - Talampaya-Becken konzentriert, das an späterer Stelle genauer beschrieben wird. In der Provinz San Juan gibt es viele andere Fundschichten mit triassischen Fossilien, jedoch enthalten die meisten von ihnen nur Überreste von Pflanzen und Fischen.

In der Provinz Mendoza finden sich ebenfalls viele triassische Gesteine, die zwar eine große Vielfalt an Pflanzenfossilien hervorbringen, jedoch kaum fossile Wirbeltierreste enthalten. Zu den wichtigsten Überresten fossiler Wirbeltiere dieser Region zählt der einzige Nachweis von Landwirbeltieren der argentinischen Unteren Trias, die große Ähnlichkeit mit zeitgleichen Funden aus Südafrika aufweisen. Dies gilt als Beleg, dass Afrika und Südamerika zu dieser Zeit vereint waren.

Zum Schluss sollten die triassischen Gesteinsschichten der Provinz Santa Cruz in der Lokalität „Estancia El Tranquilo" nicht unerwähnt bleiben: Der Fundort der berühmten Nester in denen Reste von Dinosaurierembryos gefunden wurden, die unter dem Namen *Mussaurus patagonicus* bekannt sind.

Der Harvard-Paläontologe A.S. Romer war so beeindruckt von Ischigualasto, dass er während seiner Geländearbeiten im Jahre 1958 folgendes in sein Tagebuch schrieb: *Es ist die Freude aller Wirbeltierpaläontologen, am Morgen aufzustehen, das Zelt zu verlassen und sich in der Umgebung des außergewöhnlichsten Fossilienfriedhofs wiederzufinden, den man sich jemals vorstellen kann. Und alles perfekt erhalten.*
(A. S. Romer, 1958)

ISCHIGUALASTO – TALAMPAYA: DIE WIEGE DER DINOSAURIER

Das Unesco Welterbe Ischigualasto - Talampaya ist einer der wichtigsten geologisch-paläontologischen Geoparks in Argentinien. Innerhalb seiner Grenzen verläuft eine kontinuierliche Schichtenfolge, die Schritt für Schritt erzählt, was in diesem Teil Pangaeas in der Trias - von 250 bis rund 205 Millionen Jahren vor heute - geschah. Die untersten Schichten dieser Beckenstruktur sind Geologen unter dem Namen Talampaya- und Tarjados-Formation bekannt. Sie kennzeichnen den ältesten Teil der Trias, die Untere Trias. Diese Schichten werden von der Chañares-, Ischichuca- und Los Rastros-Formation überlagert, die die Mittlere Trias repräsentieren. Über ihnen folgen als Abschluss die Ischigualasto- und Los Colorados-Formation der Oberen Trias.

Wir können das Ischigualasto-Becken mit einem riesigen Sandwich vergleichen, das sieben übereinander lagernde Schichten umschließt, die jede für sich einen anderen Zeitabschnitt der Trias darstellen. Erfreulicherweise haben alle diese Schichten unterschiedliche Gesteinsfarben und -eigenschaften und sind durch einen Rundumblick vom Eingang des Parks klar erkennbar. Der Besucher kann von dort seinen Blick über fast 50 Millionen Jahre der Erdgeschichte schweifen lassen.

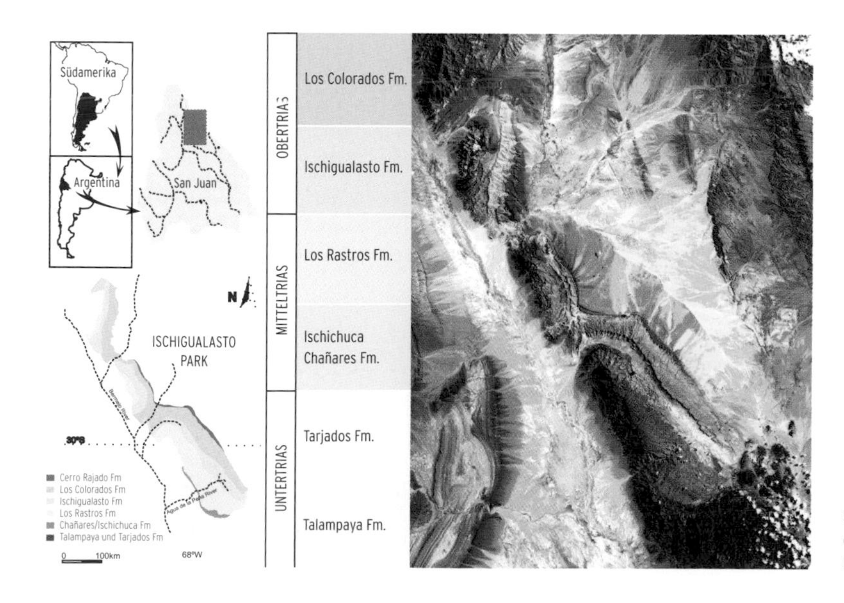

Satellitenfoto und geologische Karte des triassischen Ischigualasto-Beckens im Nordwesten Argentiniens.

DIE UNTERE TRIAS: EIN TROSTLOSER BEGINN

Der Beginn der Trias in diesem Teil des Riesenkontinents Pangaea unterschied sich zu diesem Zeitpunkt der Erdgeschichte nicht wesentlich von anderen Orten auf der Welt. Zahlreiche Belege weisen darauf hin, dass die klimatischen Bedingungen extrem trocken waren. Dazu gehört die Überlieferung von Dünen urzeitlicher Sandlandschaften, wie sie heute in sehr trockenen Teilen der Erde wie Afrika oder China zu finden sind. Unter diesen extrem oxidierenden Bedingungen ist die Chance einer Erhaltung von organischem Material und somit jeglicher Hinweis auf eine Vegetation gleich Null.

Die geologischen Strukturen in den dunkelroten und hellrosa-farbenen Schichten der Talampaya- und Tarjados-Formation erzählen uns, dass zu Beginn der Trias an diesem Ort recht ungestüme Flüsse mit hoher Geschwindigkeit aus den Gebirgen herabstürzten und dabei eine große Menge an Gestein und Schlamm in diese sehr trockene Gegend führten. Tausende oder Hunderttausende von Jahren später begannen die hohen Berge zu verwittern und ruhigere Flüsse zu führen, die zwischen Dünenfeldern verliefen und vorwiegend Sand und Ton transportierten. In den Flussablagerungen wurden wenige Anzeichen für vergangenes Leben gefunden. Hierfür bieten sich zwei unterschiedliche Erklärungen an: Entweder waren die geologischen Bedingungen in diesem früheren Lebensraum nicht dafür geeignet, Knochen und Pflanzen zu erhalten, oder die Region wurde nach dem Massensterben am Ende des Perm nicht wieder neu besiedelt, womöglich aufgrund des lebensfeindlichen Klimas.

Untertriassische „Red Beds" der Talampaya - Tarjados Formation. Die einzigen fossilen Landwirbeltiere aus der Unteren Trias wurden in Argentinien entdeckt. Die Funde beschränken sich auf wenige Schädel von Cynodontiern aus dem Süden der Provinz Mendoza.

DIE MITTLERE TRIAS: DAS ZEITALTER DER SEEN IN ISCHIGUALASTO

Zu Beginn der Mittleren Trias war das Ischigualasto-Becken größer und tiefer. Ein ausgedehnter See, der sich über Hunderte von Kilometern erstreckte, entwickelte sich darin. Dieser geologische Augenblick ist in einer großartigen Gesteinsserie mit Abdrücken von Pflanzen, Insekten und Überresten von Fischen, die im See lebten, festgehalten. In der Umgebung des Sees herrschten gute Bedingungen für eine Besiedlung durch Pflanzen und Tiere. Erfreulicherweise sind einige ihrer Überreste in den Gesteinen der Chañares Formation erhalten.

Die wenigsten Wirbeltierfossilien der Mittleren Trias sind im Fossilbericht der Erde vertreten. Während dieser triassischen Zeitspanne fand ein Übergang von einer von Therapsiden zu einer von Archosauriern beherrschten Welt statt. Die Archosaurier begannen während der Mittleren Trias vielfältige Formen zu entwickeln, und brachten die Tiere hervor, die später die Lebensräume der Raubtiere besetzt hielten. Dieser Teil der Erdgeschichte ist uns dank der Fossilien, die in der weltbekannten

Graue Ablagerungen der mitteltriassischen Chañares Formation. Diese Gesteine enthalten einzigartige Wirbeltierfossilien wie den kleinen *Lagosuchus*, der als unmittelbarer Vorfahr der Dinosaurier angesehen wird.

Chañares Formation gefunden wurden, gut bekannt.

Auf den ersten Blick erscheint diese Gesteinseinheit wie ein gewöhnlicher klassischer Aufschluss im Ödland, mit grauen Hügeln, die von farbigen Streifen durchzogen werden und ein attraktives Landschaftsbild abgeben. Geologisch betrachtet, wurden die Schichten der Chañares Formation von Flüssen abgelagert, die weite Ebenen durchzogen - einige Tausend Jahre bevor sich die Formation des großen Sees von Ischichuca bildete. Zu Beginn der Mittleren Trias fielen häufig vulkanische Ascheregen, die sich vermutlich von mehreren Hunderten Kilometern westlich her ausbreiteten, wo sich heute die Gebirgskette der Anden befindet.

Die zweite Schichtengruppe der Mittleren Trias gehört zu einer erwähnenswerten feinschichtigen Abfolge graubrauner und schwarzer Färbung. Sie stellt eine Wechselfolge aus feingeschichteter Lagen und dünnen Sandeinschaltungen dar, die in der Bildungsphase des Sees entstand. Zwischen diesen Schichten finden sich unendlich viele Blätter, manchmal Insekten und sogar einige Fische, die ihre Abdrücke in den Feinsedimenten - wie Blumen, die in einem Buch gepresst wurden - hinterlassen haben. Überreste von Landwirbeltieren sind in diesen Gesteinen bedauerlicherweise nicht erhalten - möglicherweise aufgrund der Übersäuerung ihres Lebensraums, die durch den hohen Anteil an pflanzlicher Substanz hervorgerufen wurde. Jedoch haben in einigen sandigen Schichten der Mündungsebenen große Reptilien ihre Fußabdrücke als Zeugnis ihrer Existenz hinterlassen.

Die Antwort auf fast alle Fragen zum Ursprung der Dinosaurier verbirgt sich in den Gesteinen des Ischigualasto Parks. Bis heute wurden fünf verschiedene Arten der ältesten Dinosaurier beschrieben. Sie sind die einzigen Bindeglieder, die wir zwischen dem Dinosauriervorfahren *Lagosuchus* und der Vielzahl verschiedener Dinosaurier aus der Oberen Trias und dem Unteren Jura kennen.

DIE OBERE TRIAS: EIN PARADIES FÜR PALÄONTOLOGEN

Die obertriassischen Gesteine des Ischigualasto-Beckens können leicht anhand ihrer Farben unterschieden werden. Den unteren Abschnitt der Oberen Trias bildet die weltbekannte Ischigualasto Formation, die durch markante Einschaltungen vulkanischer Aschen und viele Hinweise auf saisonale Klimaschwankungen gekennzeichnet ist. Die oberste Schicht der Oberen Trias wird von der Los Colorados Formation gebildet und ist leicht an der roten Färbung zu erkennen. Die Sedimente, die während dieser Zeit abgelagert wurden, sind die klassischen Red Beds, die die Trias der Erde charakterisieren und die größte Trockenheit gegen Ende der Trias und zu Beginn des Jura anzeigen.

Die Ischigualasto Formation ist für jeden Besucher des Ischigualasto Parks unverwechselbar. Ihre grauen und weißlichen Sedimente beherrschen die gesamte Landschaft und sind das Kennzeichen für Ödland. Es gibt kaum Anzeichen pflanzlichen Lebens auf diesen Gesteinen; ihr Salzgehalt ist so hoch, dass nur wenige angepasste Pflanzen darauf wachsen können. Das schwache Relief formt runde Hügel, die sich am Horizont verlieren. An einigen Stellen werden die Hügel von Streifen unterschiedlicher Farben wie violett, schwarz, grün oder gelb durchzogen, weshalb dieser Bereich des Parks unter dem Namen „Valle Pintado" (gemaltes Tal) bekannt ist.

Die fossile Pflanzenwelt, die in dieser Schichtenfolge erhalten ist, zeigt

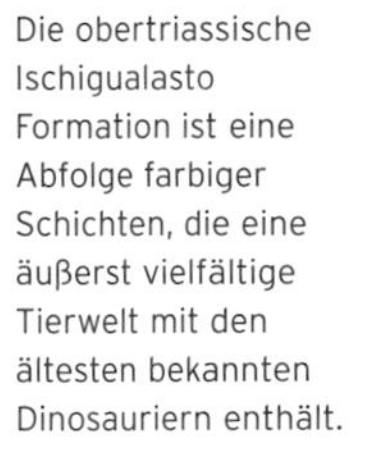
Die obertriassische Ischigualasto Formation ist eine Abfolge farbiger Schichten, die eine äußerst vielfältige Tierwelt mit den ältesten bekannten Dinosauriern enthält.

Die Los Colorados Formation ist eine mächtige Abfolge von „Red Beds". Erfreulicherweise sind in den obersten Schichten der Formation reichhaltig Fossilien enthalten, die uns zeigen, wie die Tierwelt am Ende der Trias, vor 205 Millionen Jahren, aussah.

Ähnlichkeit mit der des vorangegangenen Zeitabschnitts. Zusammen mit den Bodenarten ist sie ein Anzeiger für trocken-heißes, saisonal schwankendes Klima. Im Gegensatz zur vorausgegangenen Periode, begünstigte hier jedoch die Trockenheit der Ebenen, gemeinsam mit den vielen Einschlüssen vulkanischer Aschen, die im Becken eine Quelle mineralischer Komponenten darstellen, die Erhaltung einer der bedeutendsten und vollständigsten Wirbeltiersammlungen der Welt aus der Zeit des frühen Oberen Trias (Karnium).

DIE DINOSAURIER VON ISCHIGUALASTO

1963 entdeckte der amerikanische Paläontologe Prof. A.S. Romer von der Harvard Universität Schichten, die unzählige rundliche Gesteinsbrocken enthielten, sogenannte Konkretionen. Mit großem Interesse wurden diese seltsamen Gebilde, die sich als äußerst hart und Widerstandsfähig erwiesen, sorgfältig untersucht. Man kann es als einen außerordentlichen Glücksfall bezeichnen, dass eines von diesen bedingt durch Verwitterung einen Sprung aufwies, durch den das Stück, als es einen Hang herabrutschte, in zwei Teile zerbrechen konnte, und in seinem Innern ein fast vollständiges Skelett zum Vorschein kam. Beflügelt durch diese Entdeckung begannen Romer und sein Team die anderen Konkretionen aufzubrechen, in denen, wie sich zeigte, Überreste einer bis dahin völlig unbekannte Tierwelt enthalten waren. Zu ihren bedeutendsten Funden zählt ein Exemplar der einzigen bekannten Dinosaurier-Vorfahren der Welt: Dieses kleine Geschöpf, das vor etwas 232 Millionen Jahre lebte, also in der Mittleren Trias, wurde auf den Namen

Am Ende der Trias lebte das größte Lebewesen dieser geologischen Periode im urzeitlichen Ischigualasto-Becken - der Langhalssaurier *Lessemsaurus sauropoides*. Auf dieser Abbildung sieht er sich der Gefahr des wildesten Räubers der Oberen Trias, dem Landkrokodil *Fasolasuchus tenax*, gegenüber.

Lagosuchus talampayensis getauft, da seine Körperproportionen Aspekte hüpfender Tiere aufweisen, wie etwa die Gruppe der Hasenartigen, die wissenschaftlich als „Lagomorpha" bezeichnet werden. *Lagosuchus* war ein Archosaurier mit einem sehr leicht gebauten Skelett, das Merkmale von Dinosauriern trägt. Tatsächlich ist dieses Tier der erste Archosaurier im Fossilbericht, der einen solchen fortschrittlichen Knochenbau besitzt und im Verhältnis zu seinen langen Hinterbeinen sehr kurze Vordergliedmaßen aufweist, was im Verlauf der evolutionären Entwicklung zum prägenden Kennzeichen der Raubsaurier wurde. Gleichzeitig finden sich bei *Lagosuchus* aber auch archaische Merkmale im Bau des Beckens und des Kreuzbeins, die ihn zu einer echten Übergangsform zwischen ursprünglichen Archosauriern und den echten Dinosauriern machen, die kurz darauf - nur drei oder vier Millionen Jahre später - zu Beginn der Oberen Trias auftauchten.

Als fossilreichster Bereich des Ischigualasto-Beckens gehört die Ischigualasto Formation zweifellos zu den weltweit bedeutendsten Fossillagerstätten ihrer Zeitepoche. Tausende von Fossilien wurden hier in über 40 Jahren geborgen. Die Tierwelt der Ischigualasto Formation enthält neben Uramphibien zahlreiche mit den Krokodilen verwandte Archosaurier, Dinosaurier, eine enorme Vielfalt an Therapsiden wie Cynodontier und Dicynodontier sowie letztendlich die häufigsten Wirbeltiere dieser Zeitepoche, die sogenannten Rhynchosaurier. Diese Vielfalt der Tierwelt spiegelt einen der bedeutendsten Momente in der

Geschichte der Landwirbeltiere wider: nämlich die schrittweise Ablösung der Dominanz der Therapsiden durch die Archosaurier. Die Ischigualasto-Fossilien kennzeichnen die letzte Blütezeit in der Geschichte der Therapsiden, die 60 Millionen Jahre zuvor, im Perm, begann.

Von den vor 230 Millionen Jahren neu auftretenden Tiergruppen stehen vor allem die frühen Dinosaurier im Mittelpunkt des Interesses, vermutlich weil sie die Erde für die nächsten 160 Millionen Jahre beherrschen sollten. Der älteste Nachweis dieser Tiergruppe stammt aus Ischigualasto, von dem Ort, an dem die ersten Schritte ihrer unglaublichen Entwicklungsgeschichte erforscht werden können, die schließlich zur Beherrschung sämtlicher Lebensräume an Land führte.

Bei den in Ischigualasto entdeckten Echsenbeckendinosauriern (Saurischia) handelt es sich um *Eoraptor, Panphagia, Herrerasaurus*, und *Frenguellisaurus*, die als die bisher ältesten Dinosaurier gelten. Erfreulicherweise lässt die ausgezeichnete Erhaltung, die für die Fossilien von Ischigualasto charakteristisch ist, eine lückenlose Erforschung dieser Tiere sowie Aussagen über ihre rätselhafte Entwicklung zu. *Eoraptor* ist durch ein vollständig erhaltenes Skelett und einige unvollständige Exemplare bekannt. *Herrerasaurus* ist zwar der am häufigsten gefundene Dinosaurier von Ischigualasto, doch wurde von ihm bislang kein vollständiges Skelett entdeckt. So musste sein Erscheinungsbild anhand Dutzender Teilfunde, die im Verlauf von 40 Jahren gemacht wurden, mühsam rekonstruiert werden.

Diese beiden frühen Dinosaurierarten erreichten nicht die Größe ihrer späteren Vettern aus dem Jura und der Kreide, denn sie wurden nicht länger als 3 m. *Eoraptor* war mit etwas über 1 m Länge der Kleinste. Ihr Körperbau lässt darauf schließen, dass sie sehr schnelle, sich ausschließlich auf den Hinterbeinen fortbewegende Läufer waren. Sie gelten als die ersten Wirbeltiere, die permanent auf zwei Beinen gehen konnten. Ihre Schnelligkeit und ihre mit scharfen Krallen bewehrten Hände machten sie unter ihren Zeitgenossen zu gefährlichen Jägern.

Der Raubsaurier *Frenguellisaurus ischigualastensis* war vor 223 Millionen Jahren ein bedeutender Jäger. Hier attackiert er den Dicynodontier *Ischigualastia jenseni*.

Die fossile Tierwelt des oberen Abschnitts der Los Colorados Formation zeigt ein völlig anderes Bild als die der Ischigualasto Formation. Fast alle waren Therapsiden ausgestorben – mit Ausnahme eines kleinen Tieres, *Chaliminia musteloides*, das bereits einige moderne Säugetiermerkmale aufweist, jedoch noch zu den sogenannten Cynodontiern gezahlt wird.

Wie kein anderer Ort auf der Welt zeigt der oberste und damit jüngste Teil der Los Colorados Formation eine Mixtur aus typisch triassischen Reptiliengruppen und solchen die eher für die Zeit des Jura charkteristisch sind. So finden sich einerseits Vertreter der Aetosaurier, Rauisuchier und Ornithosuchier,

Ischigualasto ist heute ein Wüstengebiet. Vor 228 Millionen Jahren jedoch breitete sich hier ein fruchtbares Tal mit Flüssen aus. Viele Farne und Nadelbäume boten Nahrung für die letzten Dicynodontier, die wenige Millionen Jahre später vollkommen von pflanzenfressenden Dinosauriern verdrängt wurden.

und andererseits Protosuchier, Schildkröten, Sphenosuchier sowie sauropode und theropode Dinosaurier (Langhals- und Raubsaurier).

Zur Zeit der Los Colorados Formation traten erstmals Pflanzen fressende Dinosaurier im Fossilbericht auf, und zum ersten Mal in der Geschichte der Landwirbeltiere begannen Lebewesen, sich vom Boden aus Nahrungsgründe in über 2 m Höhe zu erschließen. Die langhalssaurierähnlichen Dinosaurier (Sauropodomorpha) waren die ersten, die lange Hälse und schier gewaltige Ausmaße entwickelten. So konnte *Lessemsaurus*, der eine Länge von 19 m erreichte, Blätter von Bäumen abweiden, die bis zu 6 m hoch waren. Diese evolutionäre Linie, die in Ischigualasto zum ersten Mal „erprobt" wurde, war besonders im Jura und in der Kreide äußerst erfolgreich, wo einige ihre Vertreter Längen von 30 m und mehr erreichten.

EIN BOTANISCHER GARTEN DER TRIAS

Die Trias ist durch eine bedeutende Umwandlung der Flora gegenüber der des Oberen Erdaltertums gekennzeichnet. Die triassischen Pflanzen zeichnen sich dadurch aus, dass ihre Vertreter über den gesamten Riesenkontinent Pangaea verbreitet waren, abgesehen von einigen Formen die allein für die Südhalbkugel typisch sind, wie die Corystospermaceae, eine Gruppe fossiler Samenfarne. Ein besonderes Merkmal dieser Pflanzen ist die begrenzte Zeitspanne ihres Auftretens. Sie erschienen zu Beginn der Trias und verschwanden bereits am Ende dieser Periode wieder.

Zu den kennzeichnenden Gruppen der triassischen Vegetation zählen die Samenfarne (Pteridospermae). Neben diesen waren auch Samenpflanzen häufig, wie Palmfarne und verschiedene Nadelhölzer. Um das etwas vereinfachte Bild noch zu vervollständigen, muss man sich zudem eine große Vielfalt an farnartigen Pflanzen und echten Farnen vorstellen. Die meisten dieser Pflanzen hatten ein ähnliches Aussehen, abgesehen von den Nadelhözern, den Palmfarnen und einigen wenigen anderen. Einen triassischen Garten sollte man sich als eine Landschaft vorstellen, die im Wesentlichen aus Farnen besteht, in die schlanke Nadelbäume und palmenartige Büsche eingestreut sind.

Fossilien der ehemaligen Vegetation finden sich in Ischigualasto erst ab der Mittleren Trias, da in den Gesteinen der Unteren Trias Pflanzen nicht erhalten geblieben sind. An Pflanzenfossilien reiche Schichten kommen in der Ischichuca- und die Los Rastros Formation vor. Beide bildeten sich in der Mittleren Trias.

Während der Mittleren Trias bestand die in Form von Holzkohle oder Abdrücken von Blättern überlieferte Vegetation vorwiegend aus Mischwäldern baumartiger Vertreter der Samenfarne, Ginkgogewächse und Nadelhölzer. Die baumlosen Ebenen waren von einem niedrigen Bewuchs aus Farnen und Samenfarnen bedeckt, so wie heute die Savannen mit Gräsern.

Während der Oberen Trias bildeten sich entlang der Flüsse Galeriewälder aus verschiedenen Samenfarnbäumen. Ihre Stämme wurden in den Flussläufen transportiert, abgelagert und eingebettet. Die Blätter wurden zusammengeschwemmt und in kleinen Wasserkörpern abgelagert, die sich in saisonalen Flussbetten und Überflutungsebenen bildeten. In den obersten Schichten der Oberen Trias zeugen Oxidationsspuren in der Los Colorados Formation von Umweltbedingungen, die für Erhaltung fossiler Pflanzen ungeeignet waren. Dennoch gibt es Funde großer verkieselter Stämme von Nadelhölzern und von Samenfarnen wie *Rhexoxylon*.

Die Los Rastros Formation liegt unmittelbar unter der Ischigualasto Formation. Bedauerlicherweise enthält sie keine Fossilien von Landwirbeltieren, da die Gesteine, die diese Formation bilden, hauptsächlich Ablagerungen aus Seen oder Flussdeltas enthalten. An Stelle von Landwirbeltieren liefert die Los Rastros Formation eine äußerst artenreiche Vergesellschaftung fossiler Pflanzen.

5.
DER JURA

Der Jura ist die zweite von insgesamt drei Perioden des Erdmittelalters. Jurassische Gesteine enthalten fossile Zeugnisse für tropisches Klima, flache Kontinentalmeere, das Auseinanderbrechen des Riesenkontinents Pangaea sowie die Vorherrschaft majestätischer Dinosaurier und großer Meeresreptilien.

Die Zeitepoche des Jura bezeichnet die mittlere, über 60 Millionen Jahre umfassende Periode des Erdmittelalters, die vor rund 205 Millionen Jahren begann und vor ungefähr 145 Millionen Jahren endete. Die ersten jurassischen Gesteine wurden ursprünglich im 19. Jahrhundert in den Schweizer Alpen entdeckt; später wurden sie auf allen Kontinenten gefunden und erforscht. Die Jurazeit ist eine bedeutende Phase in der Entwicklungsgeschichte der Dinosaurier und anderer Tier- und Pflanzengruppen. Während dieser Zeit entstand eine große Vielfalt verschiedenartiger Dinosaurier, die in die unterschiedlichen Lebensräume vordrangen und diese schließlich dominierten. Erstmals erreichten sie gewaltige Körperausmaße.

PALÄOGEOGRAPHIE UND PALÄOKLIMATOLOGIE

Paläogeographie: Der Riesenkontinent Pangaea, der alle größeren Landmassen während der Trias in sich vereinigte, begann im Jura aufgrund von Bewegungen der Erdkruste in zwei voneinander weg driftende Teile, Laurasia und Gondwana, zu zerbrechen. Während sich Laurasia, das die Kontinentalplatten Nordamerikas, Europas und Asiens einschloss, über die Nordhalbkugel erstreckte, breitete sich auf der südlichen Hälfte der Kontinent Gondwana aus, der die Landmassen von Südamerika, Afrika, Australien, die Antarktis, Madagaskar und Indien in sich barg. Während dieser Teilung in eine nördliche und südliche Hälfte begann bereits der Zerfall Gondwanas in weitere Teile. Zunächst zerbrach Gondwana in eine östliche Scholle, bestehend aus der Antarktis und Australien, und in eine westliche Scholle, die Afrika und Südamerika einschloss. Dazwischen öffnete sich der westliche Indische Ozean. Schließlich zerbrach der westliche Teil in zwei weitere Stücke, indem Südamerika und Afrika auseinander drifteten und zwischen ihnen der südliche Atlantische Ozean entstand.

GEGENÜBERLIEGENDE SEITE Blick über die mitteljurassische Cerro Cóndor Formation, deren Gesteine im Valle Medio des Chubut-Flusses bei Cerro Cóndor zu Tage treten.

MITTLERER JURA
vor 170 Millionen Jahren

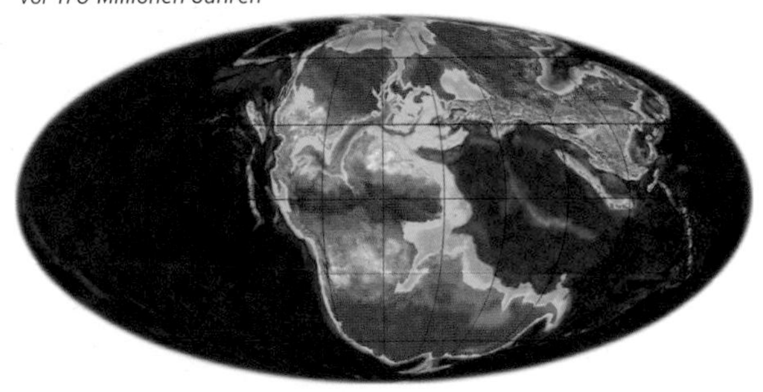

OBERER JURA
1vor 50 Millionen Jahren

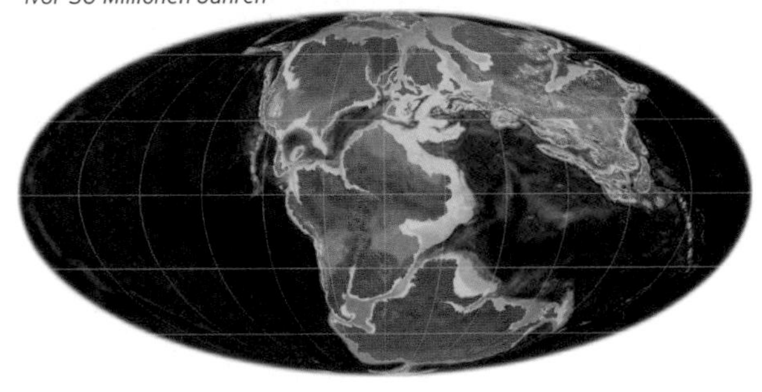

Der Riesenkontinent Pangaea, in dem alle großen Landmassen während der Triaszeit vereinigt waren, begann im Jura auseinander zu brechen. Die Abbildung zeigt die Lage der Kontinente im Mittleren Jura (oben) und im Oberen Jura (unten).

Paläoklima: Als die Hauptbestandteile Pangaeas im Jura auseinander zu driften begannen, bot sich eine, verglichen mit den heutigen Gegebenheiten, exotische Welt dar. Alle vorhandenen geologischen und paläontologischen Zeugnisse dieser Zeit belegen ein weitaus wärmeres Klima als heute. Die jurassischen Ozeane waren nicht nur an der Oberfläche, sondern auch am Ozeanboden wärmer, wodurch sich gegenüber den heutigen Verhältnissen andere Meeresströmungen ergaben. Zudem waren die Polkappen durch das merklich wärmere und konstantere Klima nicht vereist. Zahlreiche Studien belegen einen mindestens viermal höheren Gehalt an Kohlendioxid in der Atmosphäre als heute. Durch den daraus resultierenden Treibhauseffekt befand sich der Planet während der Jurazeit inmitten einer tropischen Phase, die über 200 Millionen Jahre andauerte. Diese warmen Bedingungen wirkten sich in vielfältiger Weise auf das Erdklima aus. Im Unteren und Mittleren Jura verursachten die hohen Temperaturen eine verstärkte Verdunstung an der Meeresoberfläche. Obwohl dies den globalen Kreislauf des Wassers beschleunigte, bildeten sich im westlichen Teil des Südkontinents Gondwana ausgedehnte Wüsten, weil die Regenfälle nicht das Land erreichten, sondern bereits über dem Meer niedergingen. Das Klima im südlichen Südamerika, insbesondere in Patagonien, war daher wesentlich feuchter als im zentralen und nördlichen Teil Südamerikas und Afrikas.

Aber auch anhand der Lebewesen, die im Jura existierten, lassen sich Aussagen über das Klima dieser Zeitepoche machen, etwa durch das Vorkommen von Korallen oder bestimmten Farnen, die nur bei relativ hohen Jahrestemperaturen gedeihen können.

DIE JURASSISCHE LEBEWELT

Unter den klimatischen Bedingungen der Jurazeit fanden einige der interessantesten evolutionären Prozesse der Erdgeschichte statt, die entscheidend zur Entwicklung der wesentlichen Gruppen der modernen Tier- und Pflanzenwelt beitrugen. Diese Vorgänge gingen mit Umbildungen der Erdoberfläche einher, die, wie gegenwärtig angenommen wird, im Zusammenhang mit dem fortschreitenden Auseinanderweichen der Kontinente standen und sich entscheidend auf die Evolution der jurassischen Lebewelt auswirkten.

Flora: Die Vegetation im Jura bestand aus unterschiedlichen Pflanzenvergesellschaftungen und wurde im Wesentlichen durch wechselnde klimatische Bedingungen – vor allem der Luftfeuchtigkeit – in verschiedenen kontinentalen Lebensräumen beeinflusst. Wie oben erwähnt, existierten fast während der gesamten Jurazeit trocken-heiße Gebiete in den niederen Breitengraden Gondwanas und Laurasias. In diesen Regionen bestand die Vegetation hauptsächlich aus an trocken-heiße Bedingungen angepassten Pflanzen. Überreste von Wäldern sind selten. Die meisten dieser Pflanzenvergesellschaftungen werden von Nadelhölzern und Palmfarnen mit kleinen Blättern beherrscht.

In mittleren Breiten waren die ausgedehnten jurassischen Wälder durch eine große Vielfalt an Farnen, Palmfarnen und Nadelhölzern gekennzeichnet. Blütenpflanzen waren zu dieser Zeit noch nicht entwickelt. Wie in heutigen Wäldern war der Boden von vielen verschiedenen Unterholzpflanzen wie Farnen und Schachtelhalmen, bedeckt; es gab jedoch noch keine Gräser. Wie im Folgenden beschrieben, spiegeln allmähliche Veränderungen in den Pflanzenvergesellschaftungen eine zunehmende Trockenheit während der Jurazeit wider. Die feuchten, frühjurassischen Wälder Patagoniens zeigen häufig Überreste von Schachtelhalmen, Palmfarnen, Nadelhölzern und besonders großen Farnen, die charakteris-tisch für hohe Feuchtigkeit sind. Die zunehmende Trockenheit in Patagonien macht sich im Rückgang von Vielfalt und Häufigkeit der Palmfarne und Farne sowie in der Anwesenheit kleinblättriger Farnarten bemerkbar. Im Mittleren und Oberen Jura wurde Patagonien von ausgedehnten Wäldern bedeckt.

Fragment des Samenfarns *Pachypteris indica* (oben) und der Samenpflanze *Otozamites sp.* (unten).

Fauna: Der Jura war eine entscheidende Periode in der Evolution unterschiedlicher landlebender Tiergruppen, einschließlich vieler moderner Wirbeltiergruppen: Säugetiere, Krokodile, Eidechsen und Frösche. Zudem kennzeichnet die Epoche des Jura eine Zeit der Evolution verschiedener moderner Gliedertiere wie Zikaden, Käfer und Wespen, die dort ihren Ursprung haben und im Verlauf ihrer Entwicklung eine große Formenvielfalt erlangten. Sie kann daher generell als eine Zeit angesehen werden, in der sich bedeutsame evolutionäre Veränderungen wichtiger Tiergruppen vollzogen, die im übrigen Erdmittelalter bis hinein in die Erdneuzeit die kontinentalen Lebensräume beherrschten. Besonders auffällig ist jedoch die rasante Entwicklung der Dinosaurier und ihre Aufspaltung in unterschiedliche Gruppen, die in dieser Zeitepoche stattfand. Die Entwicklungsgeschichte der jurassischen Dinosaurier lässt deutlich drei Phasen erkennen, die sich mit den drei Perioden des Jura decken: der Untere Jura (vor 205 bis 170 Millionen Jahren), der Mittlere Jura (vor 170 bis 160 Millionen Jahren) und der Obere Jura (vor 160 bis 145 Millionen Jahren).

Bei den Dinosauriern des Unteren Jura handelt es sich im allgemeinen um primitive Vertreter der drei Hauptgruppen Theropoda (Raubsaurier), Sauropodomorpha (Langhalssaurier) und Ornithischia (Vogelbeckendinosaurier). Die meisten Dinosaurier dieser Zeit sind eng mit denen aus der Oberen Trias verwandt und ihnen daher in vielerlei

Der Jura war eine entscheidende Periode für die Evolution einiger Gruppen landlebender Tiere, einschließlich vieler heutiger Wirbeltiere wie Säugetiere, Krokodile, Echsen und Frösche.

Versteinerter jurassischer Baumstamm bei Jaramillo in der Provinz Santa Cruz.

Hinsicht ähnlich. Sie überschritten die Trias-Jura-Grenze ohne große Veränderungen, wobei einige Forscher eine leichte Zunahme der Gesamtkörpergröße gegenüber den obertriassischen Vorläufern feststellen konnten. Neben diesen gab es aber auch Dinosauriergruppen, die während der Übergangsphase eine drastische Zunahme ihrer Formenvielfalt erfuhren.

Im Mittleren Jura zeigt der Fossilbericht eine bedeutende Änderung in der Vielfalt der Dinosaurier. Die meisten primitiven Formen des Unteren Jura verschwanden am Übergang zum Mittleren Jura. Dieser Faunenwandel betraf die drei Hauptgruppen der Dinosaurier und ist so markant, dass einige Forscher das Verschwinden primitiver Formen als Massenaussterben in der Evolutionsgeschichte der Dinosaurier ansehen. Nach allem, was wir bisher wissen, stammen die ersten Nachweise moderner Entwicklungslinien innerhalb der Gruppe der Theropoda (Raubsaurier), Sauropodomorpha (Langhalssaurier) und Ornithischia (Vogelbeckendinosaurier) aus dem Mittleren Jura. Sie waren der Beginn einer gewaltigen Zunahme der Formenvielfalt, die schließlich zu den Dinosaurierfamilien führte, die im weiteren Verlauf des Erdmittelalters die Lebensräume an Land beherrschen sollten.

Unter den Dinosauriergruppen, die sich im Oberen Jura entwickelten, zeigten die Raubsaurier (Theropoda) die bedeutendsten evolutionären Entwicklungen. Sie führten zu gänzlich neuen Dinosauriertypen, die gefiedert waren und fliegen konnten, den ersten Vögeln. Ein bedeutsamer Prozess, der im Oberen Jura einsetzte, war die beginnende Abgliederung der Tierwelt der nördlichen Kontinente von der der südlichen, als Laurasia und Gondwana durch die Öffnung tiefer Becken im Mittleren Atlantischen Ozean voneinander getrennt wurden. Diese Isolation spiegelt sich in den voneinander unabhängigen Entwicklungswegen der Dinosaurier auf den beiden Kontinenten wider.

Patagonien war im Jura die Heimat vieler Dinosaurier, von denen bedeutende Exemplare dort gefunden wurden. Cerro Cóndor in der Provinz Chubut ist der einzige Fundort mitteljurassischer Dinosaurier in Amerika. Er verschaffte Paläontologen wichtige Informationen, die evolutionären Stufen dieser Zeit zu verstehen.

DER JURA PATAGONIENS

In Patagonien finden sich besonders ausgiebig Gesteinsschichten von Süßwasserablagerungen jurassischer Lebensräume. In der Abfolge dieser Sedimente können die wesentlichen globalen Trends in der Evolution der Tiere (insbesondere der Dinosaurier) und Pflanzen dieser Zeitepoche verfolgt und nachgewiesen werden. Unter den Dinosauriern sind die Sauropodomorpha (Langhalssaurier) das beste Beispiel für die allmähliche Veränderung der Tierwelt, die im Jura stattfand. Die unterjurassischen Schichten Patagoniens brachten zwei primitive Vertreter der Sauropodomorpha hervor, die die beiden unterschiedlichen Entwicklungsstufen dieser Dinosauriergruppe repräsentieren, von denen bekannt ist, dass sie weltweit im Unteren Jura auftreten. Der vergleichsweise kleine und schlanke *Leonerasaurus* zählt zu den ursprünglichsten Vertretern der sogenannten Vor-Langhalsaurier, die wissenschaftlich als Prosauropoden bezeichnet werden. Der größere *Amygdalodon patagonicus* ist eine weiterentwickelte Form, die mit der Ursprungsgruppe der sogenannten Eusauropoda (eigentliche Sauropoden oder eigentliche Langhalssaurier) verwandt ist. Die mitteljurassischen Schichten Patagoniens machen deutlich, dass zu dieser Zeit ein vollständiger Austausch von primitiven Formen durch große Eusauropoden, wie *Patagosaurus fariasi* und *Volkheimeria chubutensis*, stattfand. Im Oberen Jura entwickelten sich schließlich die sogenannten Neosauropoden (moderne Sauropoden oder moderne Langhalssaurier) als dominierende Pflanzenfresser. Sie sind in Patagonien durch Vertreter ihrer beiden Hauptgruppen repräsentiert, einerseits durch *Brachytrachelopan mesai* aus der Gruppe der Diplodocoidea (Diplodocusähnliche) und andererseits durch *Tehuelchesaurus benitezii* sowie verschiedene Brachiosaurier aus der Gruppe der Macronaria (Großnasensaurier).

Der Fossilbericht jurassischer Pflanzen Patagoniens zeigt, dass der Wandel der Tierwelt während dieser Zeitepoche von ebenso charakteristischen Trends in der Vegetation begleitet war, die auf eine grundsätzliche

Jurassische Szenerie in Patagonien zu der Zeit, als sich die Gesteine der Cerro Condor Formation ablagerten. Im Vordergrund ist eines der ersten Säugetiere zu sehen, im Hintergrund der Raubsaurier *Condorraptor*.

Ausgrabung fossiler Fische aus der jurassischen Cañadón Calcareo Formation im Valle Medio des Chubut-Flusses in Patagonien.

Veränderung der Lebensräume und der Umweltbedingungen hinweisen. Die frühe jurassische Pflanzenwelt Patagoniens bestanden aus Schachtelhalmen, Farnen, Palmfarnen (Bennettitales und Cycadeen), Samenfarnen und einer geringen Bandbreite an Nadelhözern. Die üppige Vegetation und die beträchtliche Größe der Farne weisen auf eine hohe Luftfeuchtigkeit und hohe Temperaturen in diesen Lebensräumen hin.

Im Mittleren und Oberen Jura zeigt die Pflanzenwelt Patagoniens ein anderes Bild. Zu dieser Zeit gab es einen drastischen Rückgang in der Häufigkeit von Farnen und Palmfarnen. Stattdessen begannen sich Nadelhölzer auszubreiten und Wälder zu bilden, die aus Araukarien, Zypressen und Steineibengewächsen bestanden. Die große Häufigkeit von Nadelhölzern in diesen Wäldern sowie die geringe Vielfalt der verbliebenen Farne und deren Kleinblättrigkeit, lassen darauf schließen, dass das Klima im Mittleren und Oberen Jura Patagoniens zunehmend trokkener wurde. Vermutlich blieb die Temperatur jedoch weiterhin hoch, denn es finden sich keine Hinweise auf Ginkgogewächse, die gewöhnlich kältere Umweltbedingungen bevorzugen.

WICHTIGE JURASSISCHE FOSSILIENLAGERSTÄTTEN PATAGONIENIENS

In Patagonien zählen die unterjurassischen Gesteinsschichten wahrscheinlich zu den am weitesten verbreiteten Fossilienlagerstätten. Sie enthalten Pflanzenfossilien, die aus drei Regionen Patagoniens stammen. In der südlichen Provinz Santa Cruz ist die Roca Blanca Formation nicht nur reich an Pflanzenmaterial, sie birgt auch Überreste einiger der urtümlichsten bislang bekannten Frösche (*Vieraella herbsti*). In Zentralpatagonien sind es zwei Gebiete, in denen unterjurassische Gesteinsschichten vorkommen, die sowohl Überreste einer beachtlich reichhaltigen und vielfältigen Pflanzenwelt aufweisen, als auch Wirbeltierfossilien enthalten. Diese Gesteine bilden den Hauptbestandteil des Cañadón Asfalto-Beckens, das sich über weite Teile der Provinz Chubut erstreckt. Das erste dieser beiden Gebiete wird von einer Folge aus Sedimenten und vulkanischen Gesteinen geformt, die die Las Leoneras und Lonco Trapial Formation bilden. Diese Schichten, die sich über die Sierra de Taquetrén im Norden der Provinz Chubut erstrecken, enthalten neben einer äußerst vielfältigen fossilen Pflanzenwelt auch Überreste vom bereits erwähnten *Leonerasaurus*. Das zweite Gebiet mit unterjurassischen Gesteinen in Zentralpatagonien befindet sich inmitten der Provinz Chubut und erstreckt sich entlang der Sierra del Cerro Negro. Die dortigen Gesteine

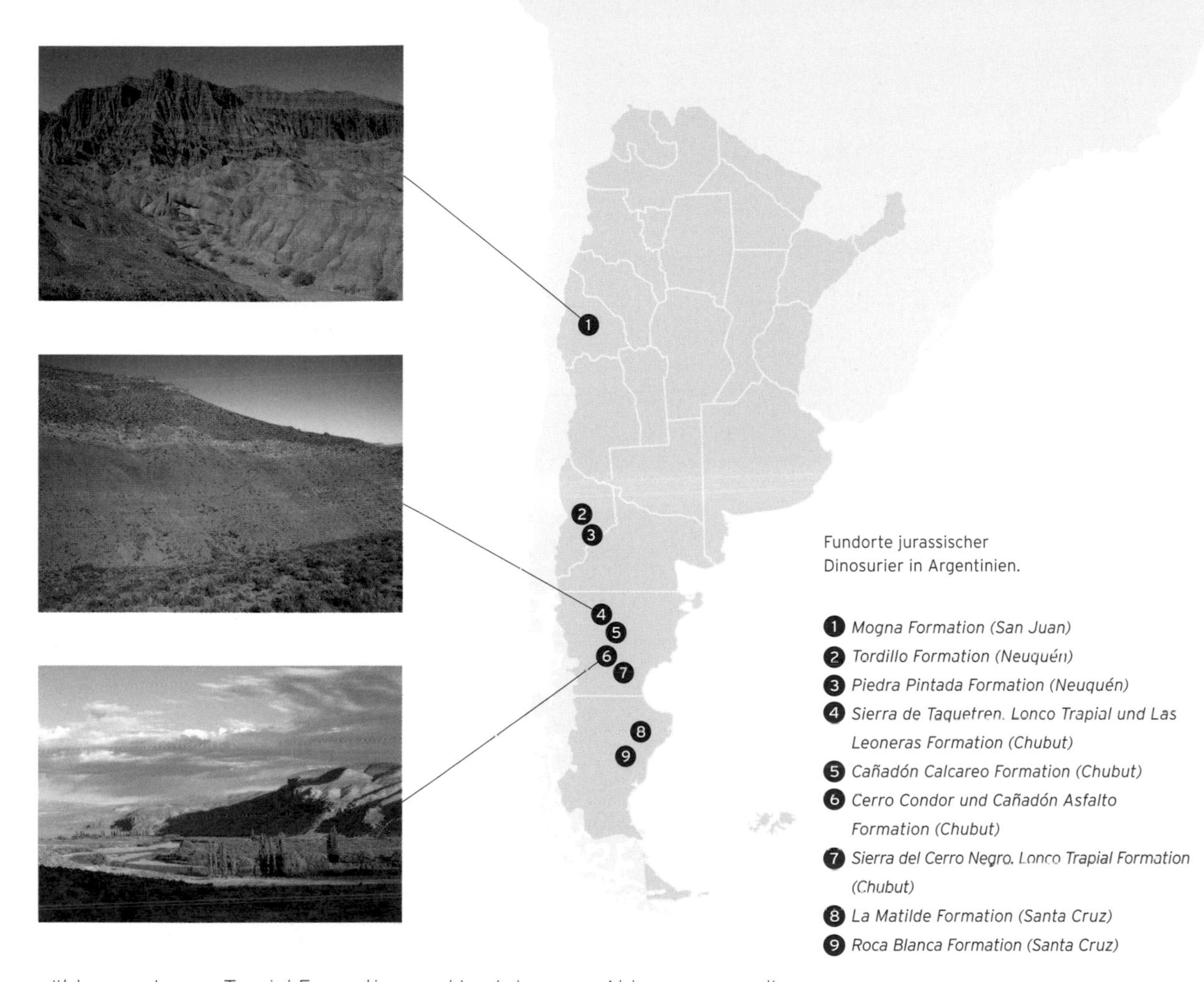

Fundorte jurassischer
Dinosurier in Argentinien.

1. *Mogna Formation (San Juan)*
2. *Tordillo Formation (Neuquén)*
3. *Piedra Pintada Formation (Neuquén)*
4. *Sierra de Taquetren, Lonco Trapial und Las Leoneras Formation (Chubut)*
5. *Cañadón Calcareo Formation (Chubut)*
6. *Cerro Condor und Cañadón Asfalto Formation (Chubut)*
7. *Sierra del Cerro Negro, Lonco Trapial Formation (Chubut)*
8. *La Matilde Formation (Santa Cruz)*
9. *Roca Blanca Formation (Santa Cruz)*

zählen zur Lonco Trapial Formation und bestehen aus Ablagerungen, die, obwohl fossilienärmer als die der Sierra de Taquetrén, Überreste von Pflanzen und dem höherentwickelten Langhalssaurier *Amygdalodon patagonicus* enthalten. In der nördlichen Region Patagoniens finden sich unterjurassische Meeresablagerungen, die ein weiträumiges vordringen des Pazifischen Ozeans in das - in der Provinz Neuquén gelegene gleichnamige - Neuquén-Becken anzeigen. Bei einigen dieser Schichten, wie im Fall der Piedra Pintada Formation, handelt es sich jedoch um küstennahe Meeresablagerungen, die auch Überreste von Pflanzen des Unteren Jura hervorbringen. Bisher sind allerdings noch keine Wirbeltierreste aus diesen Schichten Nordwest-Patagoniens bekannt.

Gesteine kontinentaler Ablagerungen aus dem Mittleren Jura sind weltweit selten. In Patagonien ist dieser Zeitraum am besten durch die äußerst fossilienreichen Schichten der Cañadón Asfalto Formation belegt. Mitteljurassische Gesteine sind auch in Südpatagonien in den weiträumigen Aufschlüssen der La Matilde Formation in der Provinz Santa Cruz zu

Jurassische Gesteine im Valle Medio des Chubut-Flusses in der Provinz Chubut.

finden. Diese Schichten enthalten viele Überreste verkieselter Stämme von Nadelbäumen und anderen Pflanzen, die an Ort und Stelle fossilisiert wurden und somit einen versteinerten Wald aus dem Mittleren Jura darstellen. In derselben Formation finden sich auch Abdrücke von Pflanzen, wirbellose Tiere, Dinosaurier- und Säugetierspuren sowie der urtümliche Frosch *Notobatrachus degiustoi*.

Die oberjurassischen Ablagerungen Patagoniens gehören wahrscheinlich zu den am wenigsten erforschten Gesteinsschichten. Zudem sind fossilienführende Bereiche dieser Zeitepoche nicht gerade häufig. Die bekanntesten Fossilien des Oberen Juras stammen aus der Cañadón Calcáreo Formation des Cañadón Asfalto-Beckens in Zentralpatagonien. Die Dinosaurier- und Pflanzenfossilien dieser Lagerstätte sind außergewöhnlich zahlreich, wurden aber erst während der letzten zehn Jahre entdeckt und erforscht.

DAS CAÑADÓN ASFALTO-BECKEN EINE FALLSTUDIE DES JURAS IN PATAGONIEN

Obwohl jurassische Fossilienlagerstätten in verschiedenen Regionen Patagoniens zu finden sind, bietet nur das Cañadón Asfalto-Becken die einzigartige Möglichkeit, die Evolution der Lebewesen während der drei Phasen des Jura durchgängig zu verfolgen.

Die unterjurassischen Schichten des Cañadón Asfalto-Beckens sind am besten in den Gesteinen der Las Leoneras und Lonco Trapial Formation aufgeschlossen. Zu den zahlreichen und äußerst vielfältigen fossilen Pflanzen, die in diesen Schichten gefunden wurden, gehören Schachtelhalme, viele großblättrige Farnarten, Samenfarne aus der Gruppe der Caytoniales, Palmfarne und einige Nadelhölzer. Die Häufigkeit und große Vielfalt großblättriger Farne zeigt, dass zur Zeit des Unteren Jura in Zentralpatagonien ein üppig bewachsener Lebensraum mit hoher Luftfeuchtigkeit existierte. Dieses Ökosystem war die Heimat der Pflanzen fressenden Langhalssaurier *Leonerasaurus* und *Amygdalodon*. Wie andere ursprüngliche Langhalssaurier Dinosaurier besaß *Leonerasaurus* kleine blattförmige Zähne, die sich zum Abzupfen von Blättern eigneten. Dagegen wies *Amygdalodon* große löffelförmige Zähne mit beträchtlichen Abnutzungsspuren auf, die durch den Abrieb beim Abbeißen von Nahrung entstanden.

Im Mittleren Jura ließen die im Cañadón Asfalto-Becken sich ablagernden Sedimente die Cañadón Asfalto Formation entstehen. Die großflächige Entwicklung von Seen im Mittleren Jura von Patagonien schuf ideale Voraussetzungen für die Erhaltung von fossilen Pflanzen, Wirbeltieren und Wirbellosen. Die Vegetation bestand überwiegend aus Nadelhölzern aus der Gruppe der Araukarien und Zypressen, die durch Äste, Samen- und Pollenzapfen sowie einzelne Samen überliefert sind. Zu einem geringeren Anteil waren auch Schachtelhalme, Farne und womöglich Samenfarne vertreten. Die Vorherrschaft der Nadelhölzer ist eindrucksvoll – sie stellen 90 %

GEGENÜBERLIEGENDE SEITE Szene aus der Jurazeit. Rekonstruktion der fossilführenden Cerro Condor Formation, in der verschiedenartige Pflanzen wie Farne, Schachtelhalme, Palmfarne und typische Bäume (Araukarien und kiefernartige Nadelhölzer) erhalten sind. Im Vordergrund beobachtet der urzeitliche Lurch *Notobatrachus* die Bewegungen des Raubsauriers *Piatnitzkysaurus*, der gerade die Spuren des pflanzenfressenden Langhalssauriers *Patagosaurus* verfolgt.

Montiertes Skelett des jurassischen Raubsauriers *Piatnitzkysaurus* im Museo „Egidio Feruglio" in der Provinz Chubut.

aller bekannten Exemplare dar, während alle übrigen Gruppen die restlichen 10 % ausmachen. Eines der wichtigsten Kennzeichen dieser Flora ist die völlige Abwesenheit der Palmfarne (Cycadeen und Bennettitales), die in den unterjurassischen Floren Zentralpatagoniens sehr zahlreich vertreten waren. Die Wirbeltierfauna ist durch vier Dinosauriergattungen vertreten, die in den 1970er Jahren auf frühen Forschungsreisen nach Patagonien unter der Leitung des berühmten argentinischen Paläontolo-gen José Bonaparte entdeckt wurden. Zwei dieser Dinosaurier sind Pflanzenfresser, die anderen beiden Fleisch fressende Raubsaurier aus der Gruppe der Theropoden. Bei den beiden Pflanzenfressern handelt es sich um *Patagosaurus fariasi* und *Volkheimeria chubutensis*.

Patagosaurus ist ein bemerkenswert großer Dinosaurier aus der Gruppe der Eusauropoda (eigentliche Langhalssaurier), der eine Gesamtkörperlänge von ungefähr 18 m erreichte. Viele Funde sind derzeit bekannt, und die zahlreichen Überreste unterschiedlich großer Skelette von *Patagosaurus* wurden als Zeugnis ihres Herdenlebens gedeutet. Die löffelförmigen Zähne von *Patagosaurus* ähneln denen von *Amygdalodon* und dienten vermutlich dazu, große Mengen an Blättern der ausgedehnten Nadelwälder, die die jurassischen Seen in Zentralpatagonien umgaben, zu zerkleinern. Der kleinere Eusauropode *Volkheimeria* ist nur durch fragmentarische Überreste bekannt und stellt vermutlich einen primitiveren Vertreter der Eusauropoden als *Patagosaurus* dar. Die Raubsaurier (Theropoda) der Cañadón Asfalto Formation sind *Piatnitzkysaurus floresi* und *Condorraptor currumili*, zwei engverwandte Arten mittlerer Größe, die eine Gesamtkörperlänge von bis zu 5 m erreichten und kräftige Vorderextremitäten mit großen gebogenen Klauen entwickelten. Diese beiden Arten sind bedeutsam, da sie zu den am vollständigsten erhaltenen Raubsauriern des Mittleren Jura gehören.

In der Cañadón Asfalto Formation wurde eine Fülle neuer Fossilien entdeckt, die einen Einblick in die unglaubliche Vielfalt der Wirbeltiere gibt, die Zentralpatagonien im Mittleren Jura besiedelten. Diese Überreste beinhalten neue Arten von Amphibien, Schildkröten und Säugetieren. In den letzten Jahren wurden drei verschiedene Säugetierarten bestimmt, die letztendlich drei Arten aus zwei unterschiedlichen Säugetiergruppen darstellen. Die Säuger der Jurazeit waren alle außerordentlich klein und machten nur einen geringen Anteil der Tierwelt aus: Diese kleinen spitzmausähnlichen Lebewesen standen während der gesamten Jura- und Kreidezeit im Schatten der riesigen Dinosaurier. Dennoch war diese Zeit entscheidend für deren Evolution, da sich im Erdmittelalter die Hauptlinien der Säugetiere, die zu den Kloaken-, Beutel- und Plazentatieren führten, entwickelten. Einer der Säuger, *Argentoconodon fariasorum*, gehört zur Gruppe der so genannten Triconodontidae, die sich durch dreizipflige Zahnkronen auszeichneten. Die beiden anderen Arten, *Asfaltomylos patagonicus* und *Henosferus molus*, sind ursprüngliche Vertreter der sogenannten Australosphenida, einer nur dort vorkommenden Säugetiergruppe des Südkontinents Gondwana, die mit den ersten Kloakentieren verwandt ist.

Die oberjurassische Cañadón Calcáreo Formation, die die Cañadón Asfalto Formation überlagert, besteht aus einer wechselnden Folge von Süßwasserablagerungen mit zwischengeschalteten vulkanischen Aschelagen. In der Gesteinseinheit werden häufig fossilisierte Zapfen zweier Nadelbaumgattungen (*Araucaria* und *Pararaucaria*) sowie versteinerte Baumstämme gefunden. Neben diesen Fossilien wurde kürzlich eine Ansammlung diverser fossiler Pollen entdeckt. Die Überreste sind Zeugen eines warmen Lebensraums im Oberen Jura Zentralpatagoniens. Wie oben erwähnt, belegen die Florenreste eine allgemein zunehmende Trockenheit der zentralpatagonischen Ökosysteme. Die Süßwasserablagerungen an der Basis der Cañadón Calcáreo Formation lieferten drei unterschiedliche Fischarten, die durch Hunderte von Exemplaren belegt sind. Andere Wirbeltiere dieser Formation sind zwei Arten eusauropoder Dinosaurier sowie Überreste einer weiteren, noch unbestimmten Art. Diese Dinosaurier gehören zu den beiden Hauptgruppen der Neosauropoda (moderne Sauropoden oder moderne Langhalssaurier), den Diplodocoidea (Diplodocusähnliche) und Macronaria (Großnasensaurier). *Brachytrachelopan mesai* ist ein höchst ungewöhnlicher diplodocoider Sauropode, der zur Familie der sogenannten Dicraeosauridae zählt. Diese Familie ist ausschließlich von dem Südkontinent Gondwana bekannt. Als kennzeichnendes Merkmal weisen deren Vertreter gabelförmige Dornfortsätze an den Rumpf- und Halswirbeln auf, die die Wirbelsäule wie mit Stacheln besetzt aussehen lässt. Die genaue Funktion dieser langen Stacheln wird noch heftig diskutiert. Forscher sehen in ihnen entweder Verteidigungswaffen, Balzmerkmale oder Strukturen, die im Zusammenhang mit der Thermoregulation stehen. Die Wirbelsäule von *Brachytrachelopan mesai* wirkt ungewöhnlich glatt für einen Vertreter aus der bizarren Familie der Dicraeosauridae, da die gabelförmigen Dornfortsätze seiner Rücken- und Halswirbel nach vorne und nicht nach oben gerichtet sind. Diese Eigenschaft ist verblüffend, da solche Stacheln die Beugung des Halses nach oben sicherlich stark behindern mussten. Allerdings besitzt der Hals von *Brachytrachelopan mesai* ein noch ungewöhnlicheres Merkmal: seine für Langhalssaurier extrem geringe Länge. Der kurze, in seiner Beweglichkeit eingeschränkte Hals weist darauf hin, dass sich diese Art vermutlich eher vom Bodenbewuchs ernährte als von den Zweigen der großen Nadelbäume, die aus der Cañadón Calcáreo Formation bekannt sind. Einer der Langhalssaurier aus der Gruppe der Macronaria (Großnasensaurier) ist *Tehuelchesaurus benitezii*, ein großer Dinosaurier von 18 m Körperlänge.

Szene aus der Jurazeit. Araukarien werfen ihre Schatten auf das Unterholz aus verschiedenartigen Farnen.

6.

DIE KREIDE

Die Kreidezeit ist die letzte, 80 Millionen Jahre umfassende, Periode des Erdmittelalters. Sie begann vor ungefähr 145 Millionen Jahren und endete vor 65 Millionen Jahren mit einer der größten Katastrophen, die die Erde jemals erlebte. In der Kreidezeit herrschten auf der Erde völlig andere Bedingungen als heute. Während dieser Epoche setzten die Dinosaurier ihre Vorherrschaft auf dem Land in allen Lebensräumen fort, nahmen an Vielfalt zu und erreichten schließlich ihre höchste Artenzahl und Häufigkeit. Die Kreidezeit war aber auch eine bedeutende Periode in der Entwicklungsgeschichte der Pflanzen, da in ihr eines der wichtigsten Ereignisse der Pflanzenevolution stattfand: Das Auftreten und die Ausbreitung der Blütenpflanzen (Angiospermen). Jedoch erlangten die Blütenpflanzen erst gegen Ende dieser Zeitepoche ihre weltweite Vorherrschaft. Dieser Prozess wurde vermutlich über die Bestäubung durch Insekten vorangetrieben und stellt eines der am besten erforschten Beispiele einer wechselseitigen Evolution (Co-Evolution) zwischen Tieren und Pflanzen dar.

GEGENÜBERLIEGENDE SEITE Kreidezeitliche Gesteine erstrecken sich in Patagonien über Hunderte von Quadratkilometern. Die wahrscheinlich größte Ausdehnung erreichen sie in der Provinz Neuquén. Das Foto zeigt Gesteinsschichten der Plaza Huincul Formation.

PALÄOGEOGRAPHIE UND PALÄOKLIMATOLOGIE

Paläogeographie: Nach dem Ende des Jura, der Epoche in der der Riesenkontinent Pangaea allmählich auseinanderbrach, lag zu Beginn der Kreidezeit eine Anordnung der Kontinente vor, die wesentlich von zwei Landmassen geprägt war: Laurasia und Gondwana. Diese waren durch das Tethysmeer im Osten und den frühen mittlatlantische Ozean im Westen voneinander getrennt. Während der Kreidezeit setzten die Kontinentalplatten ihre Bewegung in Richtung ihrer heutigen Lage fort. Auf der Südhalbkugel öffnete sich in der Unterkreide der südliche Atlantische Ozean, und Afrika wurde allmählich von Südamerika getrennt. Zu dieser Zeit befand sich die südliche Spitze Südamerikas (Patagonien) nahe dem Antarktischen Kontinent, der eine Brücke nach Australien darstellte, durch die ein reger Austausch der Tier- und Pflanzenwelt zwischen diesen

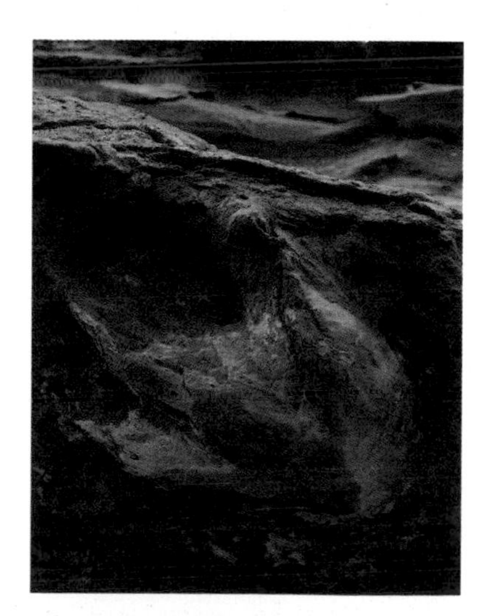

Fußspur eines Langhalssauriers aus dem Ezequiel-Ramos-Mexía-Stausee.

UNTERKREIDE
vor 105 Millionen Jahren

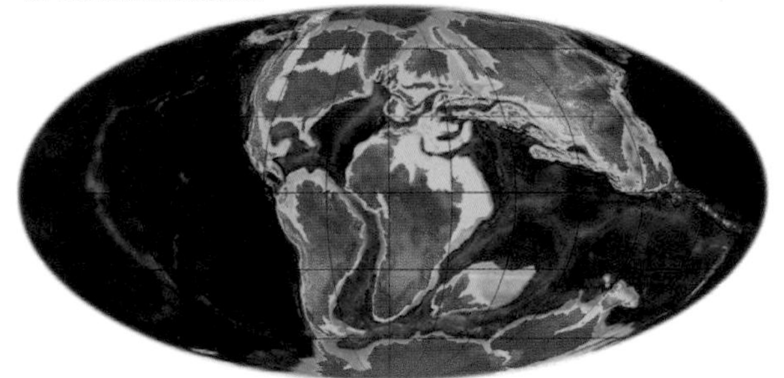

OBERKREIDE
vor 90 Millionen Jahren

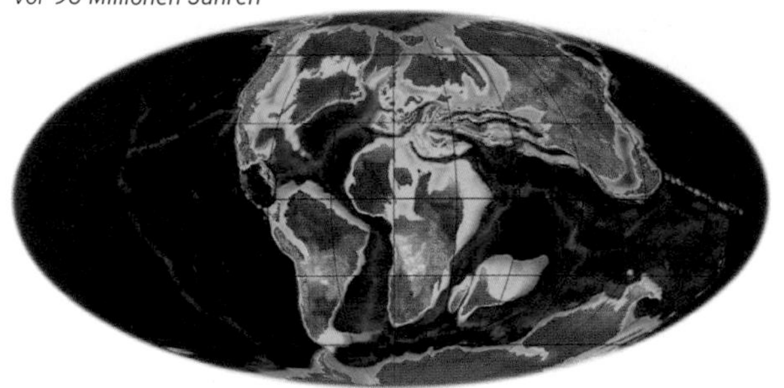

Der Riesenkontinent Pangaea teilte sich während der Kreidezeit in zwei große Landmassen - Laurasia im Norden und Gondwana im Süden. Die Abbildung zeigt die Lage der Kontinente in der Unterkreide (links) und in der Oberkreide (rechts).

Erdteilen stattfinden konnte. Der Indische Ozean dehnte sich weiter aus. In ihm lag ein großes Stück der Erdkruste, das am Ende der Kreidezeit in zwei Teile zerfiel: Indien und Madagaskar. Während Indien nach Norden in Richtung Asien driftete, verblieb Madagaskar im südlichen Indischen Ozean.

Paläoklima: Um frühere Klimaverhältnisse zu rekonstruieren, benutzen Geologen und Paläontologen üblicherweise drei verschiedene, aber miteinander verknüpfte Methoden: Die Verteilung von unter bestimmten klimatischen Bedingungen gebildeten Gesteinen, die Verbreitung klimaanzeigender Pflanzen und Tiere, sowie die Ermittlung absoluter Jahrestemperaturen mit den Verhältnissen der Sauerstoffisotope O^{18} und O^{16}. Für die Klimarekonstruktion der kreidezeitlichen Welt wurden alle diese Verfahren benutzt.

Die klimatische Geschichte der Erde zeigt, dass nach einer Eiszeit im Übergang vom Oberkarbon zum Unteren Perm eine lang anhaltende Erwärmungsphase begann, die während des Erdmittelalters weiterhin zunahm. Neben anderen Konsequenzen dieser Erwärmung wirkten sich Meeresspiegelschwankungen am stärksten aus, sowohl auf die Lebensräume an Land, wie auch auf die im Meer. Als Folge dieses Erwärmungsprozesses scheinen in der Kreidezeit die höchsten Temperaturen in der Erdgeschichte existiert zu haben. Doch obwohl die Kreidezeit allgemein als eine Periode mit warmem, gleichbleibendem Klima angesehen wird, deuten neue Befunde darauf hin, dass in einzelnen Regionen, besonders in mittleren und hohen Breiten, kühlere Temperaturen herrschten.

DIE KREIDEZEITLICHE LEBENSWELT

Die Kreidezeit war eine erdgeschichtliche Periode, in der die Bewegung der Kontinentalplatten eine völlige Trennung der großen Landmassen verursachte, was wiederum beträchtliche Auswirkungen auf die Evolution der an Land lebenden Tier- und Pflanzenwelt hatte. Die Kreidezeit wird oft als das Zeitalter der Dinosaurier bezeichnet, da sich in kreidezeitlichen Gesteinen sehr viele Fossilien dieser Tiergruppe finden. Jedoch weist der Fossilbericht auch eine bemerkenswerte Vielfalt an anderen Tier- und Pflanzengruppen auf, durch den einige der am besten bekannten Entwicklungsprozesse in der Geschichte des Erdmittelalters veranschaulicht werden können.

Flora: Die kreidezeitliche Pflanzenwelt ist durch ein wichtiges evolutionäres Ereignis gekennzeichnet: die Ausbreitung der Blütenpflanzen (Angiospermen). Besonders in der Oberkreide nahmen die Blütenpflanzen sowohl in ihrer Vielfalt als auch in ihrer Häufigkeit zu. Während dieser Zeit entwickelten sich blütentragende Bäume und Sträucher, die eine Vielzahl von Lebensräumen eroberten. Darunter waren auch mehrere moderne Blütenpflanzengruppen, die einen großen Anteil der Vielfalt der heutigen Blütenpflanzen darstellen.

Bevor die Blütenpflanzen ihren Siegeszug antraten, wurde die kreidezeitliche Vegetation vorwiegend von einer anderen Pflanzengruppe dominiert: den so genannten Gymnospermen oder Nacktsamern, zu denen Nadelhölzer, Ginkgogewächse, Palmfarne (Cycadeen und Bennettitales) und Samenfarne zählen. Die Vielfalt der Flora wurde durch

Szene aus dem kreidezeitlichen Patagonien. Die Rekonstruktion des Lebensraums, der in der Portezuelo Formation fossil erhalten ist, zeigt *Austroraptor* in einem Araukarienwald, dessen Unterbewuchs von Farnen gebildet wird (links) sowie das Fossil eines kreidezeitlichen Palmfarns, einer Pflanze, die seit 250 Millionen Jahren auf der Erde vorkommt (rechts).

eine große Vielfalt an Farnen und Schachtelhalmen vervollständigt.

Fauna: Während sich im Jura bereits die meisten Hauptgruppen der landlebenden Wirbeltiere entwickelt hatten, kennzeichnet die Kreidezeit eine Phase einer bemerkenswerten Zunahme der Artenvielfalt, die sich in zahlreichen Gruppen, ausgehend von primitiven oberjurassischen Formen, vollzog. Die Kurzschwanzflugsaurier (Pterodactyloidea) setzten in dieser Zeit ihre evolutionäre Entwicklung fort und erreichten zum Teil erstaunliche Körpergrößen.

Die Raubsaurier (Theropoda) können in vier Hauptgruppen unterteilt werden: Carnosaurier, Spinosaurier, Abelisaurier und Coelurosaurier. Unter den Carnosauriern sind vor allem die Carcharodontosaurier hervorzuheben, zu denen die größten bekannten Raubsaurier, wie der gewaltige *Giganotosaurus*, zählen. Ähnlich große Formen traten auch bei den kreidezeitlichen Vertretern der Spinosaurier auf, die ihre jurassischen Vorfahren deutlich überragten. Eine besondere Gruppe von

Scenerie aus der Oberkreide der Rio Colorado Formation. Ein *Carnotaurus* wartet auf die Gelegenheit einen *Argirosaurus* zu überwältigen. In der rechten Ecke erscheint ein Landkrokodil.

Dinosauriern, die Abelisaurier, entwickelten sich hauptsächlich in der Kreide des Südkontinents Gondwana, wo sie die dominierenden Raubtiere waren. Unter ihnen finden sich sowohl einige extrem kleine und schlanke Vertreter mit weniger als 2 m Körperlänge, als auch große Arten, von denen einige, wie *Carnotaurus* und *Majungasaurus*, hornähnliche Strukturen auf dem Schädel trugen. Die vierte Hauptgruppe der Theropoden, die Coelurosaurier, zeigte in der Kreidezeit die größte Formenvielfalt. Zu dieser Gruppe zählen einige der kleinsten bekannten Raubsaurier wie *Microraptor zhaoianus* (50 cm Gesamtkörperlänge und rund 300 g Körpergewicht), aber auch der riesige *Tyrannosaurus rex* (13 m Gesamtkörperlänge und rund 7 t Körpergewicht). Gestützt durch phantastische Funde der letzten zehn Jahre in Nordwest-China, ist mittlerweile bekannt, dass die Körper der meisten Coelurosaurier vermutlich mit Federn bedeckt waren. Daher wissen wir heute, dass Federn, obwohl sie einst ausschließlich als Kennzeichen der Vögel gal-

Die kreidezeitlichen Gesteine Patagoniens, die Dinosaurierfossilien enthalten, zählen zu den wichtigsten auf der Erde – nicht nur aufgrund der Häufigkeit und des Artenreichtums der in ihnen erhaltenen Skelette, sondern auch, weil sie das beinahe einzige Fenster darstellen, das uns einen Einblick in die Welt südlich des Äquators vor 80 Millionen Jahren ermöglicht.

ten, auch in weitem Umfang bei Raubsauriern vorhanden waren.

Die Sauropoden (Langhalssaurier) erreichten in der Kreidezeit eine große Vielfalt und wahrhaft gigantische Körpergrößen. Beide Hauptgruppen der Sauropoden sind in dieser Zeitepoche vertreten, die Diplodocoidea (Diplodocusähnliche) und Macronaria (Großnasensaurier). Während im Oberjura innerhalb der Gruppe der Diplodocusähnlichen zahlreiche langgestreckte schlanke Formen wie *Diplodocus* und *Barosaurus* häufig waren, bestand diese Gruppe in der ersten Hälfte der Kreide nur noch aus den Rebbachisauriern und einem einzigen Vertreter der Dicraeosaurier, dem „stacheligen" *Amargasaurus* aus der Unterkreide Patagoniens. Von den Rebbachisauriern sind mehrere Arten aus den Schichten der Unterkreide und frühen Oberkreide Südamerikas, Afrikas und Europas bekannt. Dagegen waren die Macronaria (Großnasensaurier) in verschiedenen Regionen der Erde verbreitet. In der Kreide erschien die fortschrittlichste und am weitesten verbreitete Gruppe der Macronaria: die Titanosaurier. Zu ihnen zählen die größten Dinosaurier, die je existierten: *Argentinosaurus* und *Puertasaurus*.

Die Vogelbeckendinosaurier (Ornithischia) nahmen in der Kreidezeit vor allem auf der Nordhalbkugel deutlich in ihrer Vielfalt und Häufigkeit zu. Unter den gepanzerten Vogelbeckendinosauriern (Thyreophora), die vor allem von der Nordhalbkugel bekannt sind, ging die Artenzahl der im Oberjura noch zahlreichen Stegosaurier allmählich zurück, während die der Ankylosaurier stark zunahm. Drei weitere Gruppen der Vogelbeckendinosaurier entwickelten sich während der Kreide und wurden sehr zahlreich: die Ornithopoden (Vogelfußdinosaurier), die Ceratopsier (Horndinosaurier) und die Pachycephalosaurier (Dickschädeldinosaurier).

DIE KREIDEZEIT PATAGONIENS

Die Kreidezeit war von einem extremen Treibhausklima gekennzeichnet, in dem eine äußerst reichhaltige Tier- und Pflanzenwelt gedieh. Die beeindruckende Zahl und Vielfalt der aus Patagonien stammenden kreidezeitlichen Fossilien spiegelt in charakteristischer Weise die Verhältnisse dieser Zeitepoche auf der Südhalbkugel wider. Wie bereits erwähnt, wurde in der Kreidezeit die Evolution der Tiere und Pflanzen stark durch die kontinuierliche Trennung der großen Landmassen beeinflusst, die auf den einzelnen Kontinenten unterschiedliche Evolutionsprozesse in Gang setzte und in einigen Regionen zu einzigartigen, nur dort vorkommenden Entwicklungen führte.

Die Unterkreide Patagoniens zeigt eine interessante Mischung aus ursprünglichen Gruppen, die bereits im Jura existierten und neuen Gruppen, die sich erst während dieser Periode auf der Südhalbkugel entwickelten und sich auszubreiten begannen. So bestand die Pflanzenwelt der Unterkreide Patagoniens im Wesentlichen aus Nadelhölzern und

Schädel des merkwürdig aussehenden kreidezeitlichen Dinosauriers *Carnotaurus*. Dieser Raubsaurier ist der einzige bekannte Fleischfresser unter allen jemals gefundenen Fossilien, der Hörner auf seinem Kopf trägt.

Lage wichtiger kreidezeitlicher Dinosaurier-Fundstellen in Argentinien.

1. *Viedma Lake, Pari Aike Formation (Santa Cruz)*
2. *Lago San Martin. Kachaike Formation (Santa Cruz)*
3. *Meseta del Baquero. Baquero Gruppe (Santa Cruz)*
4. *Bajada del Diablo. La Colonia Formation (Chubut)*
5. *Piedra Parada. Lefipan Formation (Chubut)*
6. *La Buitrera, Candeleros Formation (Rio Negro)*
7. *Villa El Chocon. Candeleros Formation (Neuquén)*
8. *Cortaderas, Huincul Formation (Neuquén)*
9. *Picun Leufu, Lohan-Cura Formation (Neuquén)*
10. *Auca Mahuevo, Anacleto Formation (Neuquén)*
11. *Cañadón Amarillo (Mendoza)*
12. *Lagarcito Formation (La Rioja)*

Palmfarnen (Bennettitales und Cycadeen). Derselbe Lebensraum wies aber auch einen kleinen Anteil an Schachtelhalmen, Farnen und Samenfarnen auf. Interessanterweise enthalten die patagonischen Schichten aus der Unterkreide einige der primitivsten Blütenpflanzen (Angiospermen) Südamerikas. Das eindrücklichste Beispiel fossiler Pflanzen der Unterkreide Patagoniens stammt aus Aufschlüssen der rund 120 Millionen Jahre alten Baqueró Gruppe. Wirbeltiere der Unterkreide sind hauptsächlich aus dem Neuquén-Becken in Nordpatagonien bekannt, wo in der La Amarga- und Lohan-Cura Formation gut erhaltene Dinosaurierreste gefunden wurden. Die ältesten kreidezeitlichen Dinosaurier, vertreten durch *Amargasaurus cazaui* und *Ligabueino andesi*, stammen aus der erstgenannten Lagerstätte und sind rund 125 Millionen Jahre alt. *Ligabueino andesi* war ein kleiner, Fleisch fressender Raubsaurier (Theropode), der vermutlich eine Gesamtkörperlänge von nur 70 cm erreichte. Obwohl diese Art lediglich von fragmentarischen Überresten bekannt ist, ist sie von großer Bedeutung, da sie in Patagonien den ältesten Vertreter aus der

Schädel des größten Raubsauriers - *Giganotosaurus*. Jeder Zahn erreicht beinahe die Größe eines gebräuchlichen Küchenmessers.

Gruppe der Abelisaurier darstellt. *Amargasaurus cazaui* gilt als letzter Angehöriger der Dicraeosaurier, von denen weitere Arten in den oberjurassischen Gesteinen von Patagonien und Tansania zu finden sind. *Amargasaurus* besaß eine Gesamtkörperlänge von etwa 10 m und wie alle Dicraeosaurier verlängerte gabelförmige Dornfortsätze an den Hals- und Rückenwirbeln. Diese waren bei *Amargasaurus* jedoch wesentlich länger und dünner als bei den anderen Dicraeosauriern, vor allem am Hals.

Unter den Langhalssauriern (Sauropoden) der Unterkreide Patagoniens findet sich eine Vielzahl von nur auf dem Südkontinent vorkommenden Abstammungslinien, durch die deutlich wird, dass sich die Abgrenzung zwischen der Tierwelt der südlichen und nördlichen Erdhalbkugel bereits zu dieser Zeit vollzogen hatte.

Zu Beginn der Oberkreide traten mehrere Veränderungen gegenüber den vorhergehenden Verhältnissen auf, die sich im Fossilbericht Patagoniens widerspiegeln. Die Pflanzenwelt der frühen Oberkreide zeigt einen Rückgang der meisten Gruppen nacktsamiger Pflanzen (Gymnospermen). Unter diesen kommen nur noch wenige Nadelhölzer vor. Ebenso weisen die Palmfarne (Cycadeen und Bennettitales) im Vergleich zu den Verhältnissen in der Unterkreide eine geringe Vielfalt auf. Vertreter verschiedener Farngruppen, Samenfarne und Ginkgogewächse kommen ebenfalls vereinzelt vor. Die Blütenpflanzen (Angiospermen) hingegen lassen eine markante Zunahme an Vielfalt erkennen, sind jedoch weiterhin nur durch primitive Formen vertreten. Den besten Einblick in die Pflanzenwelt der frühen Oberkreide geben uns Fossilien aus den Schichten der Kachaike Formation im Süden Patagoniens.

Zahlreiche Fossilfunde machen deutlich, dass die Langhalssaurier (Sauropoden) in der frühen Oberkreide die dominierenden Pflanzenfresser waren, wogegen die Vogelbeckendinosaurier (Ornithischier) zu dieser Zeit eine noch untergeordnete Rolle spielten und nur durch kleine, primitive Formen vertreten waren. Während die Dicraeosaurier und die meisten der langgestreckten schlanken Formen aus der Gruppe der Diplodociden in der Oberkreide ausstarben, bildeten die Rebbachisaurier die letzte überlebende Gruppe der Diplodocusähnlichen (Diplodocoidea). Fossile Überreste von Titanosauriern sind aus den Schichten der untersten Oberkreide der Candeleros Formation bekannt. Sie sind hier durch primitive Formen wie *Andesaurus delgadoi* vertreten, einem großen Sauropoden. In den nur wenig jüngeren Ablagerungen der Huincul Formation finden sich weitere Titanosaurier wahrhaft gigantischer Größe. Der beeindruckendste von ihnen, *Argentinosaurus huinculensis*, ist der wohl größte Dinosaurier, der jemals entdeckt wurde. Diese phantastische Kreatur erreichte eine Gesamtkörperlänge von etwa 38 m Dies ist besonders bemerkenswert, weil Hals und Schwanz der Titanosaurier vergleichsweise kurz waren. Die Rumpfwirbel dieses Sauropoden waren rund 130 cm breit. Das Körpergewicht des gigantischen *Argentinosaurus* wird anhand seiner bekannten Überreste auf ungefähr 80 Tonnen geschätzt.

Während der frühen Oberkreide war Patagonien auch von riesigen, Fleisch fressenden Dinosauriern besiedelt. Einige der größten Raubsaurier (Theropoden) der Welt stammen von dort, *Giganotosaurus carolinii* und *Mapusaurus roseae* aus der Gruppe der Carcharodontosaurier. Diese kamen ausschließlich auf dem Südkontinent Gondwana vor. Einige von ihnen erreichten Körperlängen von bis zu 14 m. Sie besaßen große massive Schädel, die fast 2 m lang werden konnten, und runzelige niedrige Kämme auf ihren Schnauzen trugen. Ihre Zähne waren lang und schmal, mit scharfen gesägten Rändern, die sich hervorragend zum Aufschlitzen ihrer Beute eigneten. Die Raubsaurier (Theropoden) Patagoniens waren aber nicht alle riesig. Unter ihnen gab es auch kleine, zierliche Vertreter, wie bei den Coelurosauriern und mittelgroße bei den Abelisauriern. Die kleinen Coelurosaurier waren in dieser Region bis vor kurzem völlig unbekannt, bis Entdeckungen gut erhaltene Überreste zweier Gruppen hervorbrachten, die in Patagonien während der gesamten Oberkreide erfolgreich waren: die Alvarezsaurier und die Dromaeosaurier. Die Alvarezsaurier sind eine Gruppe bizarrer Theropoden, die am häufigsten gegen Ende der Kreide auftraten, wobei

Montiertes Skelett des riesigen Dinosauriers *Argentinosaurus* im Museo Municipal „Carmen Funes" in Plaza Huincul, in der patagonischen Provinz Neuquén.

Montiertes Skelett des Raubsauriers *Unenlagia* (oben). Gesteine der kreidezeitlichen Allen Formation in der patagonischen Provinz Rio Negro (unten).

der älteste Fund – *Patagonykus puertai* – aus Gesteinen der unteren Oberkreide der patagonischen Sierra del Portezuelo stammt. *Patagonykus* und andere Alvarezsaurier besaßen lange und schlanke Hinterbeine. Ihre Arme waren dagegen extrem verkürzt, jedoch mit kräftigen Muskeln ausgestattet. Die Dromaeosaurier des Südkontinents Gondwana werden zu einer einheitlichen Gruppe zusammengefasst, die den in enger verwandtschaftlicher Beziehung stehenden Dromaeosauriern der Nordhalbkugel gegenübergestellt werden. Zu den nördlichen Vertreten zählen Raptoren, wie der berühmte *Velociraptor mongoliensis*. Bei den meisten Dromaeosauriern handelt es sich um kleine zierliche Formen, die vermutlich flinke Räuber waren. Kennzeichnend ist ihre außerordentlich große, sichelförmig gebogene Kralle an der zweiten Zehe, mit der sie wahrscheinlich ihre Beute attackierten und aufschlitzten. Der erste Dromeosaurier, der auf dem Südkontinent Gondwana im Fossilbericht auftaucht, ist *Buitreraptor gonzalezorum* aus der Candeleros Formation der untersten Oberkreide von La Buitrera, gefolgt von einem größeren Vertreter, *Unenlagia comahuensis*, mit rund 2 m Gesamtkörperlänge, der aus etwas jüngeren Ablagerungen der Portezuelo Formation der Sierra del Portezuelo stammt. Diese südlichen Dromaeosaurier sind sehr leicht gebaut und gleichen in vielen Merkmalen primitiven Vögeln. Tatsächlich bedeutet *Unenlagia* „Halbvogel". Bei diesem vermutlich ehemals befiederten Dinosaurier ist der Schultergürtel so gebaut, dass er Bewegungen erlaubt, wie sie nur von Vögeln beim Schlagen ihrer Flügel vollzogen werden. *Unenlagia* war aber aufgrund seiner Körpergröße wahrscheinlich flugunfähig und stand auch nicht im Zusammenhang mit dem Ursprung der Vögel, da die ersten Vögel bereits 60 Millionen Jahre vor ihm existierten.

Die Abelisaurier setzten ihre in der Unterkreide begonnene Entwicklung in der frühen Oberkreide fort. Neuere Funde aus Patagonien erbrachten Überreste von drei Gattungen: *Ilokelesia*, *Scorpiovenator* und *Ekrixinatosaurus*. Diese mittelgroßen Raubsaurier von etwa 6 m Körperlänge repräsentieren gemeinsam mit *Rugops primus* aus der frühen Oberkreide Afrikas Vertreter der zu diesem Zeitpunkt beginnenden Verbreitung der Abelisaurier, die von da an in ihrer Vielfalt stark zunahmen. Die Schnauze war bei diesen Tieren extrem kurz, so dass der gesamte Schädel im Vergleich zu anderen Raubsauriern hoch wirkte. Die Vorderbeine der Abelisaurier waren außerordentlich verkürzt und eigneten sich vermutlich weder zum Ergreifen von Beute, noch zur Verteidigung.

Der letzte Abschnitt der Kreidezeit (vor 83 bis 65 Millionen Jahren) zeichnet sich durch verschiedene Veränderungen in der Tier- und Pflanzenwelt aus, sowie durch die Überflutung weiter Bereiche Patagoniens durch den Atlantischen Ozean am Ende dieser Periode.

Die Pflanzenwelt der Oberkreide zeigt eine auffällige Dominanz und Vielfalt von Blütenpflanzen. Nacktsamige Gewächse (Gymnospermen) aus der Gruppe der Araukarien und Steineibengewächse waren zwar vorhanden, stellten aber nur einen kleinen Anteil der Vegetation dar. In diesem Zeitraum traten die Palmfarne ihren endgültigen Rückzug aus Patagonien und dem gesamten südlichen Südamerika an. Aufgrund der großen Formenvielfalt der Blätter der Blütenpflanzen wird angenommen, dass in Patagonien am Ende der Kreide ein feuchtwarmes Klima herrschte.

Gegen Ende der Kreidezeit vollzogen sich innerhalb der Gruppe der Langhalssaurier (Sauropoden) drastische Veränderungen. Alle diplodocusähnlichen Arten (Diplodociden) verschwanden vollständig, ebenso die ursprünglichen Formen der Titanosaurier. Sie wurden vor allem durch höher entwickelte, jedoch vergleichsweise kleine Titanosaurierformen ersetzt, wie *Neuquensaurus australis*, der nur eine Körperlänge zwischen 7 und 10 m erreichte. Diese Tiere zeichnet sich durch runde Hautverknöcherungen aus, die zusammen auf der Rückenpartie eine Art Panzer bildeten. Jedoch waren nicht alle Langhalssaurier (Sauropoden) der späten Oberkreide klein. Neueste Untersuchungen an dem riesigen *Puertasaurus reuili*, einem in seinem Körperbau ursprünglichen Titanosauriden aus der Pari Aike Formation der Provinz Santa Cruz, bezeugen, dass weiterhin auch extrem große Sauropoden in der Oberkreide Patagoniens existierten: Einer der fossil überlieferten Wirbel, ein Rückenwirbel, hat eine Breite von 1,68 m. Er ist damit der breiteste bislang bekannte Dinosaurierwirbel. Obwohl *Puertasaurus* nur unvollständig erhalten ist, kann man seine Länge auf rund 40 m und sein Gewicht auf 80 bis 100 t schätzen, womit er in der Größe mit seinem etwas älteren patagonischen Verwandten *Argentinosaurus* konkurriert. Weitere große Sauropoden, wenn auch nicht ganz so große wie *Puertasaurus*, stammen ebenfalls aus Patagonien, so zum Beispiel *Argyrosaurus superbus*, der 1893 als einer der ersten patagonischen Dinosaurier von dem britischen Paläontologen Richard Lydekker beschrieben wurde.

Von den Langhalssauriern Patagoniens sind allerdings nicht nur Knochen erwachsener Tiere bekannt. In den letzten zwei Jahrzehnten wurden im nördlichen Patagonien auch großflächige Ablagerungen mit Dinosauriereiern und -nestern entdeckt. Den bemerkenswertesten Fundort stellt Auca Mahuevo in der Provinz Neuquén dar, wo tausende Sauropodeneier in vier verschiedenen fossilführenden Schichten gefunden wurden. Die Eier befanden sich in einfachen Nestern – flache Löcher, die vermutlich von den Elterntieren gegraben wurden. Diese liegen auf einer Fläche nah beieinander, was belegt, dass dieses weiträumige Gebiet

Fossile Eier von Langhalssauriern aus kreidezeitlichen Gesteinen Patagoniens.

Ein riesiger patagonischer Titanosaurier beobachtet seine aus den Eiern schlüpfenden Jungen im Nest.

vermutlich ein großer Nistplatz war, in dem sich Titanosaurier zur Paarungszeit zusammenfanden. Einige Eier enthalten sogar Skelettreste von Embryos. In einzelnen Fällen liegen darüber hinaus Hautabdrücke vor, die das Muster der Beschuppung erkennen lassen.

Neben den zu den Echsenbeckendinosauriern zählenden Sauropoden existierten in der späten Oberkreide auch andere Pflanzen fressende Dinosaurierarten aus der Gruppe der Vogelbeckendinosaurier (Ornithischier). Unter diesen sind vor allem die sogenannten Vogelfußsaurier (Ornithopoden) zu nennen, die bis zum Ende der Kreidezeit in Patagonien präsent waren. *Talenkauen santacrucensis* ist ein kürzlich entdeckter Vertreter dieser Gruppe, der in der Pair Aike Formation gefunden wurde und zeitgleich mit dem riesigen *Puertasaurus* lebte.

In Nordamerika enthalten die jüngsten kreidezeitlichen Ablagerungen auch andere Gruppen der Vogelbeckendinosaurier, wie Vertreter der hochentwickelten Hadrosaurier und der Ankylosaurier, die beide nicht in den Gesteinen Patagoniens vorkommen. Dies führte verschiedene Forscher zu der Annahme, dass diese Dinosauriergruppen am Ende der

Kreidezeit von Nordamerika aus einwanderten. Um eine dieser eingewanderten Arten handelt es sich eventuell bei dem aus Nordpatagonien stammenden Hardrosaurier *Kritosaurus australis*. Der Name, der übersetzt „südlicher *Kritosaurus*" bedeutet, unterstreicht die Ähnlichkeit mit der ursprünglich aus der späten Oberkreide Nordamerikas bekannten *Kritosaurus*-Art. Jedoch nehmen manche Forscher gegenwärtig an, dass die südamerikanische Art weniger eng mit der nördlichen verwandt ist, als ursprünglich angenommen.

Die Raubsaurier der späten Oberkreide zeigen ebenfalls eine markante Veränderung in ihrer Zusammensetzung. In dieser Zeit verschwanden die riesigen Carcharodontosaurier. Sie wurden endgültig durch Vertreter der Abelisaurier verdrängt, unter denen sich auch große Formen entwikkolten, wie *Abelisaurus comahuensis* und *Carnotaurus sastrei*. Die letztgenannte Art aus der späten Oberkreide der La Colonia Formation Zentralpatagoniens ist einer der bizarrsten Dinosaurier. Dieser große Raubsaurier besaß besonders winzige Vorderextremitäten und einen kurzen, hohen Schädel, der mit zwei Hörnern über den Augenhöhlen besetzt war. Aber auch innerhalb der Gruppe der Dromaeosaurier ergaben sich gegen Ende der Kreidezeit Veränderungen. Von großer Bedeutung ist in diesem Zusammenhang die jüngste Entdeckung von *Austroraptor cabazai* aus der Allen Formation. Dieser erreichte eine Gesamtkörperlänge von bis zu 5 m und war damit mehr als doppelt so groß wie die anderen patagonischen Dromaeosaurier. Seine Vordergliedmaßen waren verglichen mit den relativ langen Armen aller anderen Dromaeosaurier hingegen außergewöhnlich kurz.

Im Jahr 1998 verkündete ein Forscherteam die Entdeckung eines Dinosauriernistplatzes in Patagonien, der mit Tausenden von Eiern übersät war. Dutzende von ihnen enthielten Embryos, die noch nicht geschlüpft waren. Neben winzigen Knochen zeigten viele dieser Eier Stellen mit zarter fossilisierter Haut, die einen ersten Blick auf das weiche Hautgewebe gewährten, das die Dinosaurierbabies bedeckte.

KREIDE-TERTIÄR-GRENZE

Die Kreide-Tertiär-Grenze ist die Kontaktlinie zwischen kreidezeitlichen und tertiären Ablagerungsgesteinen. Wo sie erhalten ist, formt sie üblicherweise ein dünnes Gesteinsband, das ungefähr 65 Millionen Jahre alt ist. Die Grenze markiert das Ende des Erdmittelalters (Mesozoikum) und den Beginn der Erdneuzeit (Känozoikum) und steht im Zusammenhang mit dem Massenaussterben, bei dem außer den Vögeln alle Dinosaurier ums Leben gekommen sind. In der Nähe von Lamarque, in der Provinz Rio Negro, ist die Kreide-Tertiär-Grenze zu sehen, wobei ihr Alter dort bislang nicht mit radiometrischen Datierungsmethoden ermittelt wurde.

7.

GIGANTEN ARGENTINIENS

Die prähistorische Welt der Dinosaurier wirkt auf uns fremdartig und faszinierend zugleich. Viele Dinge waren damals anders als wir sie von heute kennen. Manche Dinosaurier waren größer als Häuser und andere wogen so viel wie eine ganze Familie. Einige waren so klein, dass sie in einen Rucksack gepasst hätten. Andere hätten nicht gezögert, uns aufzufressen, wenn sie Hunger hatten. Und wieder andere verbrachten den Tag damit, Farne und andere Pflanzen zu zerkauen.

Argentinien kann als ein Paradies für Fossiliensammler oder Wissen schaftler angesehen werden, die sich für die Entstehung, Evolution und Verbreitung der Dinosaurier interessieren. Hier finden sich Zeugnisse dieser Tiergruppe aus jeder Zeitepoche des Erdmittelalters, von den Ältesten bis zu den Größten, geradewegs bis zum Ende ihrer Vormachtstellung. Im Rahmen der Ausstellung „GIGASAURIER - DIE RIESEN ARGENTINIENS“ werden wir einige der vielen Dinosaurier, die in Argentinien in den letzen hundert Jahren gefunden und erforscht worden sind, herausstellen und beschreiben.

Um die Ausstellung besser genießen zu können, helfen wir Ihnen mit diesem Katalog die wissenschaftliche Bedeutung und die Besonderheiten der einzelnen Exemplare besser zu verstehen. Auf den nächsten Seiten dieses Buches finden Sie eine Zusammenfassung von Informationen, die sich mit den häufigsten Fragen beschäftigt, welche im Zusammenhang mit den Dinosauriern gestellt werden: Wie groß waren sie? Waren sie schnell oder langsam? Wo wurden sie gefunden? Was wissen wir über iher Lebensweise? In unserer Zusammenstellung werden Sie Antworten auf viele dieser Fragen bekommen. Das folgende Kapitel zeigt anhand zahlreicher Abbildungen wie wir uns die Tiere nach den neuesten Erkenntnissen vorstellen müssen.

LAGOSUCHUS TALAMPAYENSIS

BEDEUTUNG DES NAMENS „Hasen-Krokodil".

ZEITEPOCHE Mittlere Trias, vor etwa 232 Millionen Jahren.

LÄNGE UND GEWICHT 0,45 m; 0,5 kg

ERNÄHRUNG Fleischfresser.

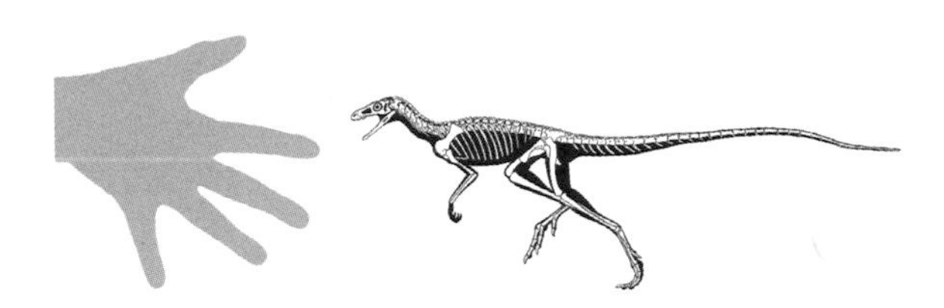

Lagosuchus wird als möglicher Vorläufer der Dinosaurier betrachtet. Dieser kleine Archosaurier, der nicht größer war als ein Huhn, besitzt bereits typische Dinosauriermerkmale. Wie bei diesen standen die Beine schon senkrecht unter dem Körper und nicht wie bei heutigen Echsen in einer seitlich abgespreizten Position. Dies wird am Fossil dadurch deutlich, dass der Gelenkkopf des Hüftgelenks gegenüber dem Oberschenkelknochen abgewinkelt ist und somit in die richtige Richtung weist, um bei dieser Beinstellung mit der seitlich nach außen weisenden Hüftgelenkpfanne in Kontakt zu treten. In diesem Zusammenhang steht auch ein Fortsatz am Becken, an dem die Muskulatur ansetzte, die das Bein in einer unter den Körper gerückten Position hielt. Schließlich ist bei *Lagosuchus* die mittlere Zehe des Fußes die längste, was ebenfalls typisch für Tiere ist, deren Beine unter dem Körper stehen. Wie bei fast allen Dinosauriern sind auch bei *Lagosuchus* die Hinterbeine deutlich länger als die Vorderbeine. Der Längenunterschied ist so groß, dass man davon ausgehen kann, dass er fast ausschließlich auf den Hinterbeinen lief. Die langen Beine ergeben sich durch eine für Dinosaurier typische Verlängerung des Fußes und des Unterschenkelknochens, die es dem Tier erlaubt, auf den Zehen zu gehen, ohne den gesamten Fuß aufzusetzen. Aufgrund dieser Eigenschaft konnte der leicht gebaute *Lagosuchus* schnell und ausdauernd laufen.

Im Ödland der Chañares Formation werden kugelige Sandsteinkonkretionen gefunden, die in ihrem Innern wunderschön erhaltene Fossilien enthalten.

Lagosuchus ist das einzige bekannte Tier, das evolutionär zwischen fortschrittlichen Archosauriern und echten Dinosauriern vermittelt.

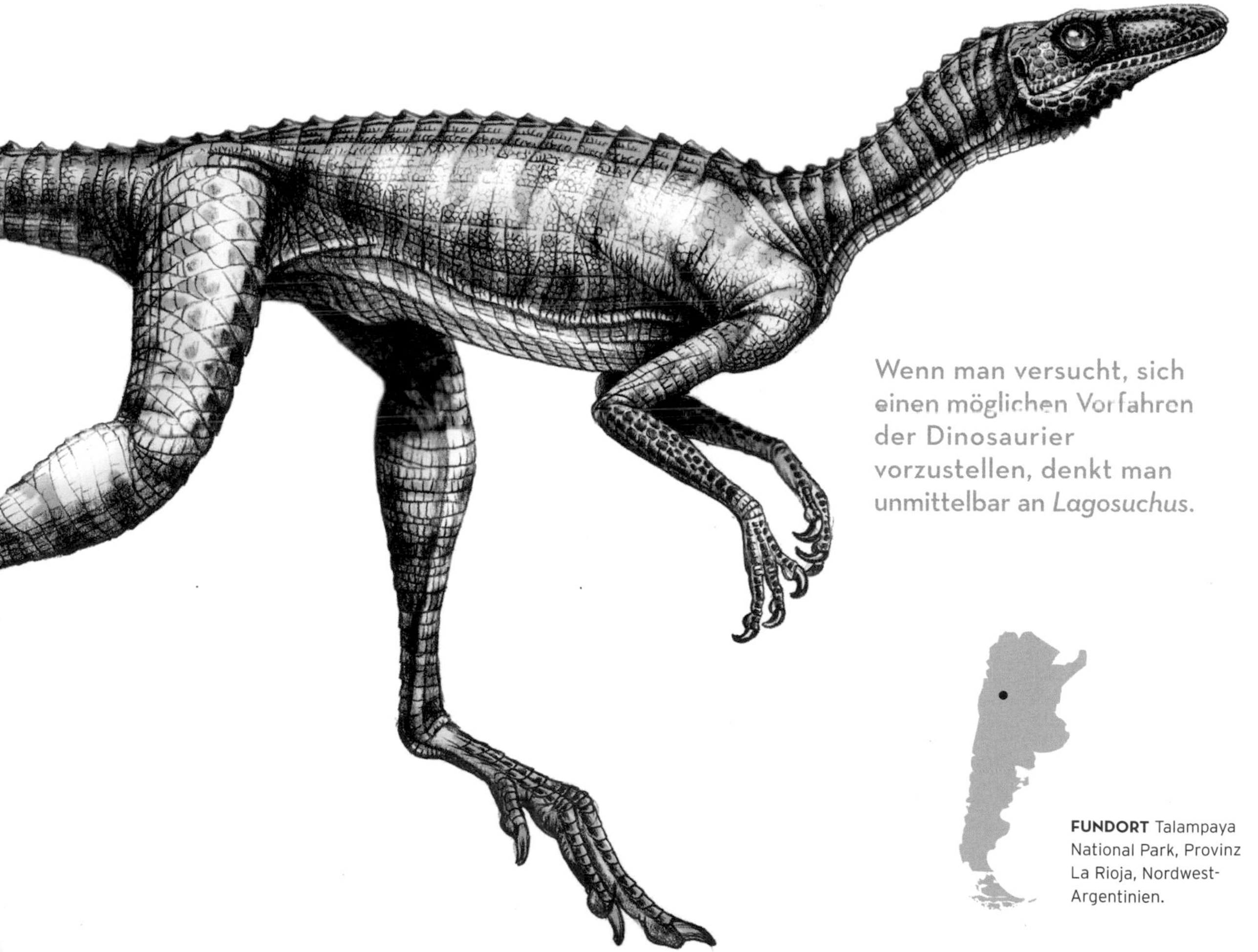

Wenn man versucht, sich einen möglichen Vorfahren der Dinosaurier vorzustellen, denkt man unmittelbar an *Lagosuchus*.

FUNDORT Talampaya National Park, Provinz La Rioja, Nordwest-Argentinien.

EORAPTOR LUNENSIS

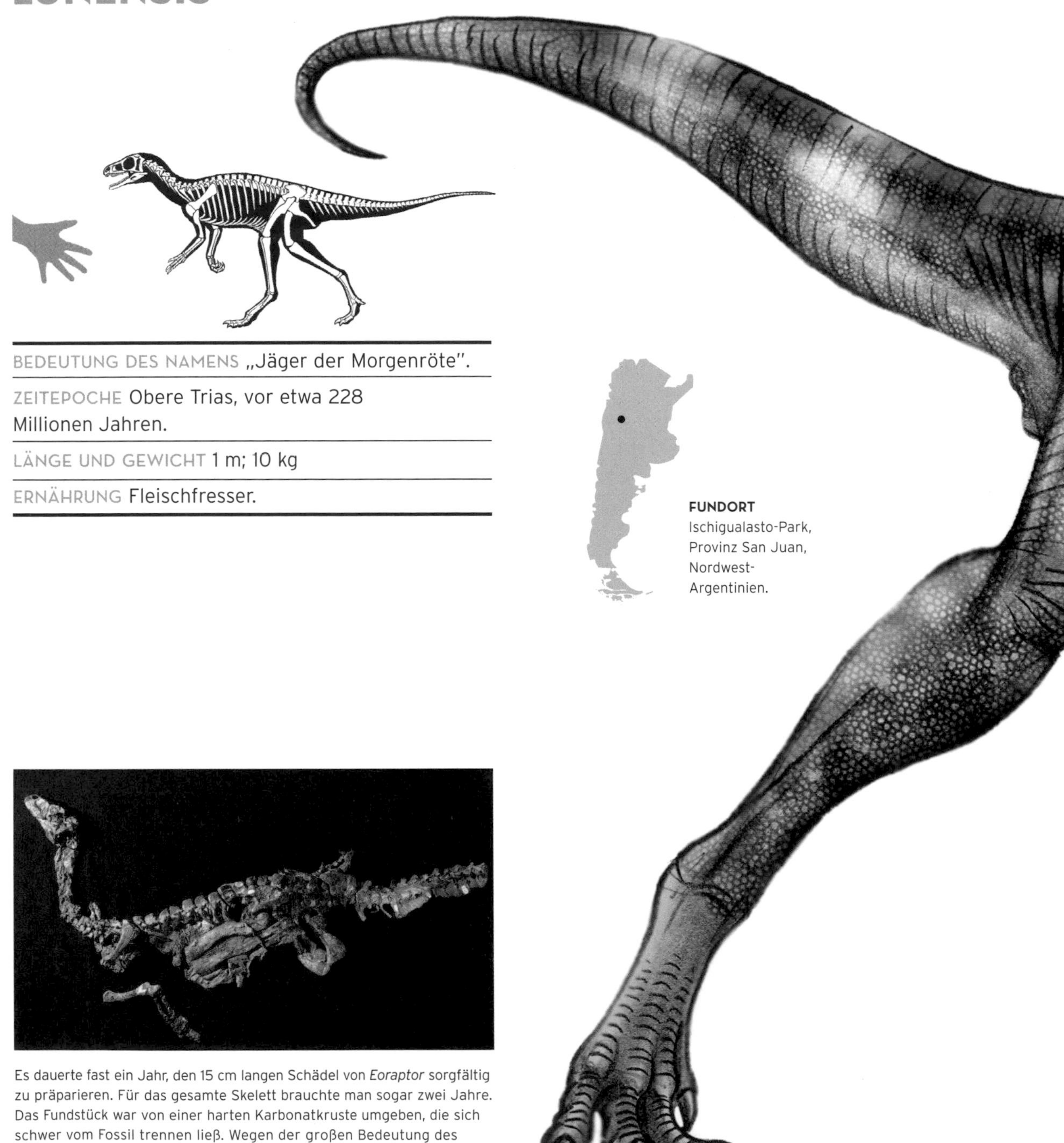

BEDEUTUNG DES NAMENS „Jäger der Morgenröte".

ZEITEPOCHE Obere Trias, vor etwa 228 Millionen Jahren.

LÄNGE UND GEWICHT 1 m; 10 kg

ERNÄHRUNG Fleischfresser.

FUNDORT
Ischigualasto-Park, Provinz San Juan, Nordwest-Argentinien.

Es dauerte fast ein Jahr, den 15 cm langen Schädel von *Eoraptor* sorgfältig zu präparieren. Für das gesamte Skelett brauchte man sogar zwei Jahre. Das Fundstück war von einer harten Karbonatkruste umgeben, die sich schwer vom Fossil trennen ließ. Wegen der großen Bedeutung des Fundes war der hohe Aufwand jedoch berechtigt.

Trotz seiner zierlichen Statur war dieser kleine Raubsaurier bereits ähnlich gebaut wie seine später in der Erdgeschichte auftretenden Vettern. Er hatte kurze Arme und lief auf seinen Hinterbeinen.

Eoraptor zählt zusammen mit *Panphagia* zu den ältesten echten Dinosauriern, die bisher entdeckt wurden. In seiner Erscheinung ähnelt er den später in der Erdgeschichte auftretenden Raubsauriern (Theropoden). Wie diese hatte er im Vergleich zu den Vorderbeinen lange Hinterbeine und einen langen, gerade auslaufenden Schwanz. Zudem besaß er hohle, leicht gebaute Knochen, so wie sie beispielsweise von dem viel später auftretenden *Velociraptor* bekannt sind. Seine Vorderzähne waren jedoch eher blattförmig und nicht so dolchartig, wie die messerscharfen Zähne der Raubsaurier. *Eoraptor* weist genau die Merkmale auf, die man bei einer Ausgangsform erwarten würde, die an der Basis desjenigen evolutionären Zweiges der Dinosaurier steht, der zu den Raubsauriern führt. Als flinker Räuber ernährte sich *Eoraptor* vermutlich von verschiedenen Kleintieren wie Eidechsen, kleinen säugetierähnlichen Reptilien oder vielleicht auch großen Käfern und Würmern.

PANPHAGIA PROTOS

Dies ist die neueste Entdeckung, die als Bindeglied zwischen den Fleisch fressenden Dinosauriervorfahren und den mit blattförmigen Zähnen ausgestatteten Pflanzenfressern angesehen wird, die vor 220 Millionen Jahren in der Oberen Trias erschienen.

BEDEUTUNG DES NAMENS „Allesfresser".

ZEITEPOCHE Obere Trias, vor etwa 228 Millionen Jahren.

LÄNGE UND GEWICHT 1 m; 10 kg

ERNÄHRUNG Allesfresser.

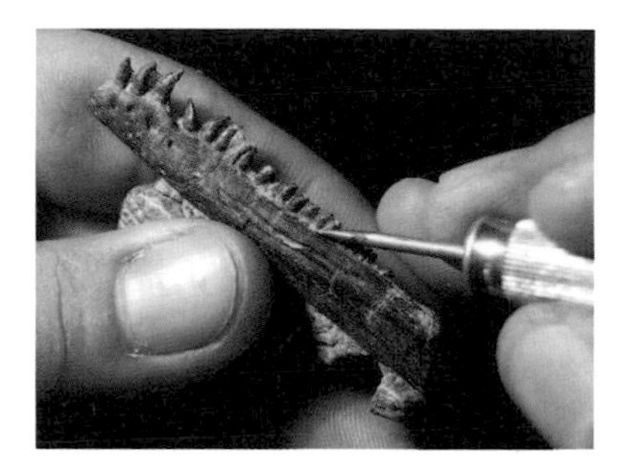

Nahaufnahme des kleinen Unterkiefers von *Panphagia*. Die Zähne sind zweifellos die eines Allesfressers. Sie stellen einen Übergang zwischen den scharfen, gebogenen Zähne der Fleischfresser und den blattförmigen Zähnen der sauropodenähnlichen Pflanzenfresser dar.

FUNDORT
Ischigualasto-Park, Provinz San Juan, Nordwest-Argentinien.

Bei dieser erst vor kurzem entdeckten Art handelt es sich um einen Allesfresser und damit um eine Übergangsform zwischen Fleisch- und Pflanzenfresser. *Panphagia* wird als frühester Vertreter der Langhalssaurier angesehen. Im Jahr 2006 wurde das zu etwa 50 % erhaltene Skelett entdeckt: Die Skelettrekonstruktion wird in der Ausstellung zum ersten Mal der Weltöffentlichkeit gezeigt.

Panphagia erinnert auf den ersten Blick an einen Fleischfresser, wie den aus den gleichen Schichten stammenden *Eoraptor*. Aufgrund der Länge seiner Hinterbeine geht man auch bei diesem Dinosaurier davon aus, dass er sich zumindest zeitweise auf den Hinterbeinen fortbewegte. Sein leicht gebautes Skelett lasst auf einen schnellen Läufer schließen. Abgesehen von diesen Ähnlichkeiten mit Raubdinosauriern, weisen die Zähne und Handknochen von *Panphagia* jedoch Merkmale der Langhalssaurier auf. Der kleine Dinosaurier ernärte sich wahrscheinlich von Farnblättern und Kleintieren wie Insekten.

HERRERASAURUS ISCHIGUALASTENSIS

BEDEUTUNG DES NAMENS „Herrera's Echse". Benannt nach Victorino Herrera, einem ortsansässigen Rancher, der die ersten Expeditionen im Ischigualasto-Park leitete.

ZEITEPOCHE Obere Trias, vor etwa 228 Millionen Jahren.

LÄNGE UND GEWICHT 3 m; 200 kg

ERNÄHRUNG Fleischfresser.

Die wissenschaftliche Bedeutung von *Herrerasaurus* und *Eoraptor* besteht vor allem in der Möglichkeit, mit Hilfe ihrer Überreste zu überprüfen, ob alle Dinosaurier von einem gemeinsamen Vorfahren abstammen.

Unter den ältesten Dinosauriern ist *Herrerasaurus* am besten durch Fossilfunde dokumentiert. Von dieser Art wurden im Ischigualasto-Park dutzende Skelette gefunden. Keines von diesen war jedoch vollständig. Aus den verschiedenen Individuen lässt sich aber ein komplettes Bild des Skelettes wie ein Puzzle zusammenfügen. Umstritten ist die Zuordnung von *Herrerasaurus*: Seine Ähnlichkeit mit den späteren Raubsauriern (Theropoden) ist auffällig, doch manche Wissenschaftler bezweifeln, dass er zur Gruppe der Theropoden gehört. Einige vertreten sogar die Ansicht, er sei nicht einmal ein Dinosaurier, sondern nur eng mit ihnen verwandt. Sicher ist, dass er wesentlich weiter entwickelt war als seine primitiven Archosauriervorfahren. Das beweist sein leicht gebautes Skelett, das hohle Knochen und eingebuchtete Wirbel aufweist. Im Gegensatz zum S-förmig gebogenen Hals der meisten späteren Raubsaurier, war der des *Herrerasaurus* kurz und gerade. Seine Arme waren zurückgebildet, aber länger als bei typischen Raubsauriern. In seinem kräftigen, langen Kiefer saßen viele scharfe, nach hinten gebogene Zähne.

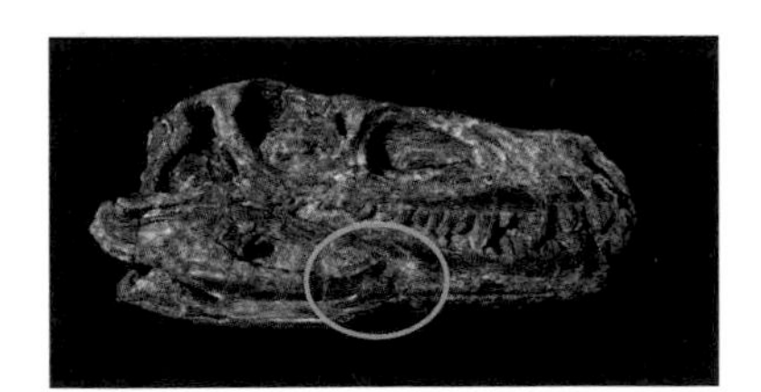

Der Unterkiefer von *Herrerasaurus* besaß in der Mitte eine bewegliche Verbindung zwischen den Knochenelementen. Damit konnte der beim Zubeißen auftretende Druck abgefangen und eine Überlastung des Kiefers vermieden werden.

FUNDORT
Ischigualasto-Park, Provinz San Juan, Nordwest-Argentinien. Ähnliche Fossilien stammen aus Brasilien und Nordamerika.

FRENGUELLISAURUS ISCHIGUALASTENSIS

Er war vor 223 Millionen Jahren das größte Raubtier während der ausgehenden Triaszeit. Die Zuordnung dieses sehr ursprünglichen Dinosauriers ist bisher noch unklar.

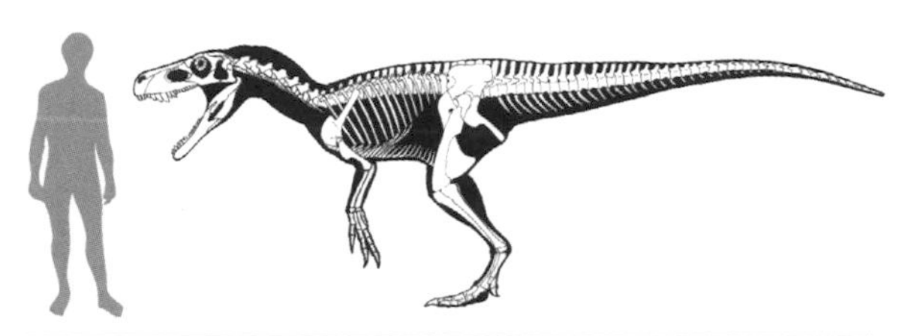

BEDEUTUNG DES NAMENS „Frenquelli's Echse".

ZEITEPOCHE Obere Trias, vor etwa 223 Millionen Jahren.

LÄNGE UND GEWICHT 6 m; 300 Kg

ERNÄHRUNG Fleischfresser.

Bei *Frenguellisaurus* handelt es sich um ein gefährliches Raubtier, das vor etwa 223 Millionen Jahren während der Zeitepoche der Oberen Trias in der Gegend des heutigen Valle della Luna auf die Jagd ging. Aufgrund seiner großen Ähnlichkeit mit *Herrerasaurus* wird dieser Raubsaurier von einigen Wissenschaftlern nicht als eigene Art angesehen, sondern als ein besonders großes Exemplar dieser Gattung. Die Debatte darüber ist zwar noch nicht abgeschlossen, aber es scheint eine Reihe überzeugender Belege dafür zu geben, *Frenguellisaurus* weiterhin als eigene Gattung zu betrachten. Seine Überreste stammen aus den obersten Schichten der Ischigualasto Formation. Er lebte somit vier bis fünf Millionen Jahre nach *Herrerasaurus* und *Eoraptor* während eines erdgeschichtlichen Zeitabschnitts, über den wir bisher wenig wissen. Der Fund des vergleichsweise vollständig erhaltenen Skeletts von *Frenquellisaurus* schließt damit eine Lücke zwischen dem ersten Auftreten der Dinosaurier vor 228 Millionen Jahren und dem Ende der Trias vor 20 Millionen Jahren, als krokodilähnliche Tiere noch die einzigen Großraubtiere waren.

Frenguellisaurus wurde 1973 gefunden und 13 Jahre unbeachtet im Museum in einer Kiste aufbewahrt. Erst im Jahr 1986 wurde das Fossil wiederentdeckt und wisssenschaftlich beschrieben.

Der Unterkiefer von *Fenguellisaurus* ist dreimal so groß wie der von *Herrerasaurus*. Vor 223 Millionen Jahren war er ein gefürchtetes Raubtier.

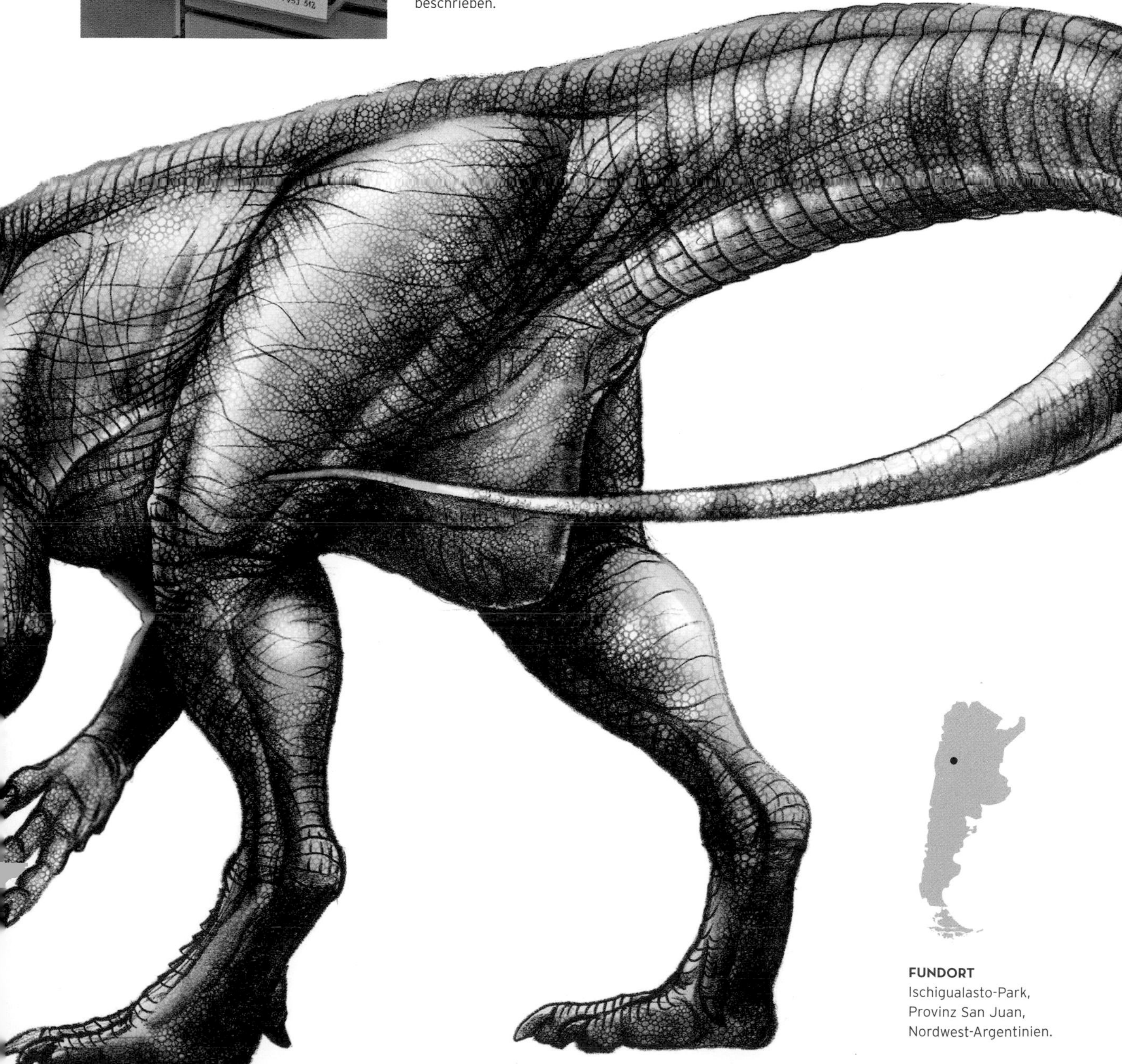

FUNDORT
Ischigualasto-Park, Provinz San Juan, Nordwest-Argentinien.

MUSSAURUS PATAGONICUS

BEDEUTUNG DES NAMENS	„Mausechse“.
ZEITEPOCHE	Obere Trias, vor etwa 220 Millionen Jahren.
LÄNGE UND GEWICHT	3 m; 70 kg
ERNÄHRUNG	Pflanzenfresser.

Funde von Dinosauriereiern sind aus fast allen Provinzen Patagoniens bekannt.

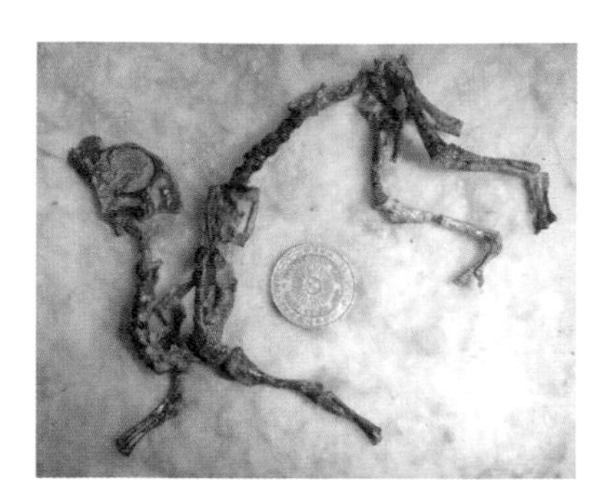

Die außergewöhnliche Erhaltung der Eier und Embryos von *Mussaurus* ist dem glücklichen Umstand zu verdanken, dass die Nester bei einer langsam voranschreitenden Überflutung sachte mit Schlamm bedeckt wurden. Im Fall einer reißenden Flut waren die Gelege zerstört worden.

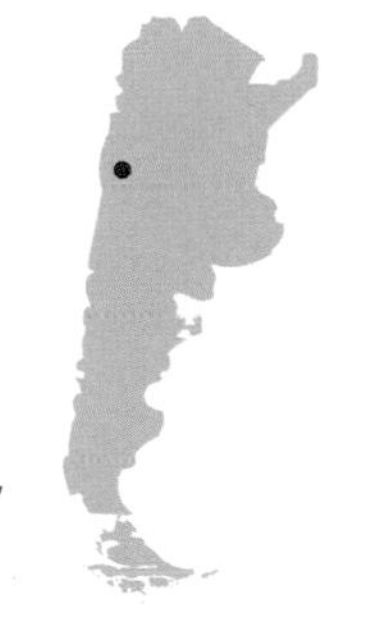

FUNDORT
El Tranquilo Formation, Provinz Santa Cruz, Patagonien.

Von *Mussaurus* sind nur einige wenige versteinerte Skelette von Jungtieren bekannt. Bei diesen handelt es sich jedoch um die bislang ältesten Dinosaurier-Babys der Welt. Wie für Kinder typisch, besitzen sie einen großen Kopf, große Augen und eine kurze Schnauze. Trotz dieser Proportionen, die eine Bestimmung der Artzugehörigkeit erschweren, kann man davon ausgehen, dass es sich bei ihnen um Prosauropoden, also um Vorläufer der Langhalssaurier, handelt. Dies lässt sich an dem Bau der Beine und des Beckens nachweisen. Wie groß die *Mussaurus*-Küken im ausgewachsenen Zustand werden konnten, ist nicht leicht zu bestimmen. Man schätzt sie auf 3 m. Ausgewachsene Exemplare besaßen vermutlich längere Schnauzen und Hälse und glichen den anderen frühen Langhalssauriern, wie etwa *Adeopapposaurus*. Die Skelette der Jungtiere wurden zusammen mit Eiern und zerbrochenen Eierschalen gefunden. Die Kopf-Rumpf-Länge betrug nur 15 cm, die Gesamtlänge mit Schwanz jedoch 30 cm. Die *Mussaurus*-Babies hatten schon Zähne. Eventuell hätten sie sich schon selbst von Pflanzen ernähen können.

Die außerordentlich gut erhaltenen Eier und Embryos, die in der Provinz Santa Cruz zu finden sind, geben uns einen einmaligen Einblick in die Brutbiologie der ältesten Dinosaurier, die vor mehr als 220 Millionen Jahren gelebt haben.

LESSEMSAURUS SAUROPOIDES

BEDEUTUNG DES NAMENS	„Lessem's Echse".
ZEITEPOCHE	Obere Trias, vor etwa 205 Millionen Jahren.
LÄNGE UND GEWICHT	19 m; 12.000 kg
ERNÄHRUNG	Pflanzenfresser.

Dass es bereits in der Trias Riesenwuchs gab, beweist *Lessemsaurus*. Zu dieser Zeit war er das mit Abstand größte Landtier. Er gehörte zur Gruppe der Prosauropoden (Vor-Langhalssaurier) und erreichte eine Länge von 19 m. Damit war er fast doppelt so lang wie der aus dem Unteren Jura stammende *Vulcanodon*, der als der bisher älteste Langhalssaurier (Sauropode) gilt. *Lessemsaurus* lief überwiegend auf vier Beinen, konnte sich aber zum Fressen auf den Hinterbeinen aufrichten, um an die Zweige der Baumkronen zu gelangen. Er lebte gleichzeitig mit verschiedenen anderen Vor-Sauropoden und zahlreichen Arten landlebender Krokodile. Unter diesen war vermutlich *Fasolasuchus* das einzige, das ihm hätte gefährlich werden können. Die Wirbel von *Lessemsaurus* zeigen Merkmale, die ihn als einen evolutionär weiter entwickelten Vor-Sauropoden auszeichnen, der enge verwandtschaftliche Beziehungen mit den späteren Sauropoden aufweist.

FUNDORT
Los Colorados Formation, Talampaya National Park, Provinz La Rioja, Nordwest-Argentinien.

Dies ist der erste Dinosaurier, der der evolutionären Strategie des exzessiven Größenwachstums nachkam. *Lessemasaurus* ist fast doppelt so groß wie der zweitgrößte Vertreter aus der Triaszeit.

Dies ist der erste Riese der Erdgeschichte. Er erschien vor 205 Millionen Jahren, 30 Millionen Jahre bevor die Evolution erneut Riesenformen unter den Landtieren hervorbrachte.

ADEOPAPPOSAURUS MOGNAI

BEDEUTUNG DES NAMENS „Weiträumig fressende Echse“.	
ZEITEPOCHE Unterer Jura, vor etwa 190 Millionen Jahren.	
LÄNGE UND GEWICHT 2 m; 80 kg	
ERNÄHRUNG Pflanzenfresser.	

Bei *Adeopapposaurus*, der erst kürzlich wissenschaftlich beschrieben wurde, handelt es sich um eine neue Dinosauriergattung aus der Gruppe der Prosauropoden (Vor-Langhalssaurier). Er ist durch einzelne, gut erhaltene Skelette überliefert. Mit nur 2 m Gesamtlänge gehörte er eher zu den kleineren Vertretern der Prosauropoden. Trotz dieser geringen Größe, konnte *Adeopapposaurus* jedoch an höher liegende Nahrungsquellen gelangen, denn sein Hals, der aus neun verlängerten Halswirbeln bestand, war für einen Prosauropoden ungewöhnlich lang. Wie *Massospondylus* und der aus Europa bekannte *Plateosaurus*, die aus der Oberen Trias stammen, hatte er an jeder Hand fünf, mit Krallen bewehrte Finger, darunter eine verlängerte Daumenkralle, die er zum Festhalten an Baumstämmen oder zur Verteidigung gegen Raubtiere einsetzen konnte. Nach neueren Untersuchungen an den Vorderbeinen soll sich *Adeopapposaurus* überwiegend auf den Hinterbeinen fortbewegt haben.

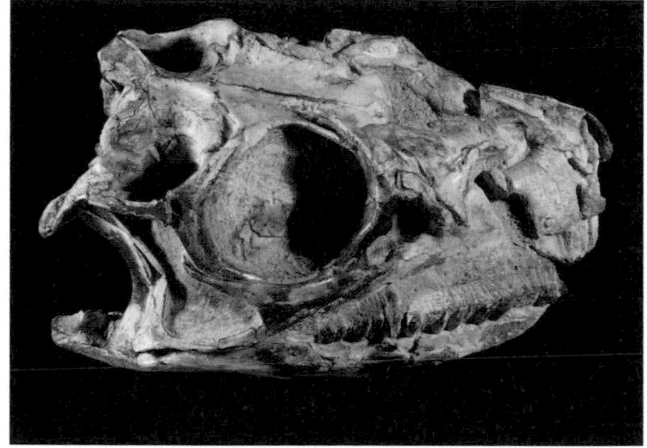

Adeopapposaurus ist einer der wenigen Vertreter aus den unterjurassischen Gesteinen Südamerikas. Glücklicherweise wurden in der Mogna Region in der Provinz San Juan in den letzten fünf Jahren zahlreiche gut erhaltene Skelette dieser neuen Art gefunden.

FUNDORT Mogna-Becken, Provinz San Juan, Nordwest-Argentinien.

Dieser erst kürzlich entdeckte Dinosaurier, der vor etwa 190 Millionen Jahren lebte, gehörte zu den wenigen Überlebenden der Aussterbewelle an der Trias-Jura-Grenze.

LEONERASAURUS TAQUETRENSIS

Die Prosauropoden waren möglicherweise die am weitesten verbreiteten Dinosaurier. Man findet ihre Überreste mit Ausnahme von Australien auf allen Kontinenten.

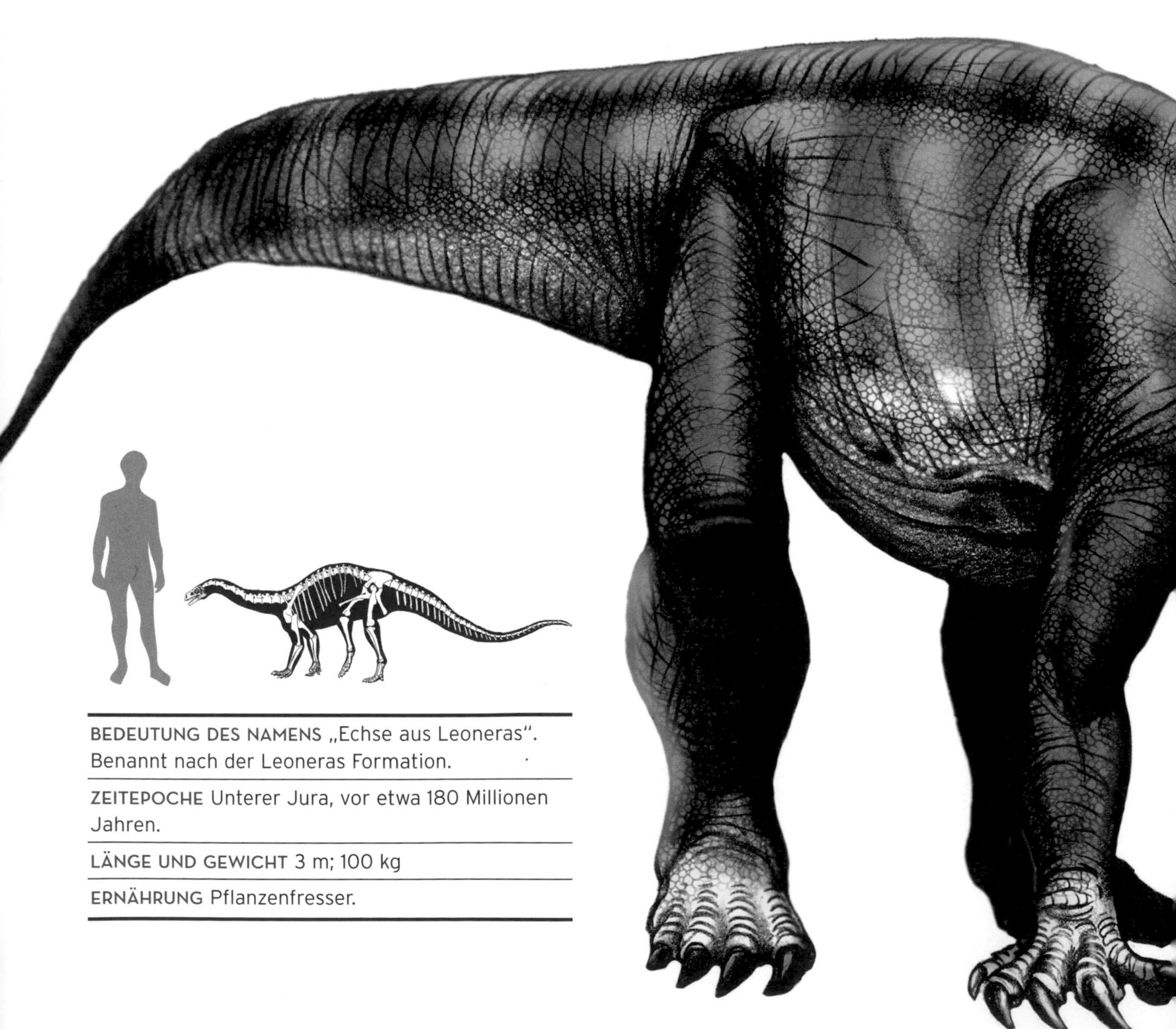

BEDEUTUNG DES NAMENS „Echse aus Leoneras". Benannt nach der Leoneras Formation.

ZEITEPOCHE Unterer Jura, vor etwa 180 Millionen Jahren.

LÄNGE UND GEWICHT 3 m; 100 kg

ERNÄHRUNG Pflanzenfresser.

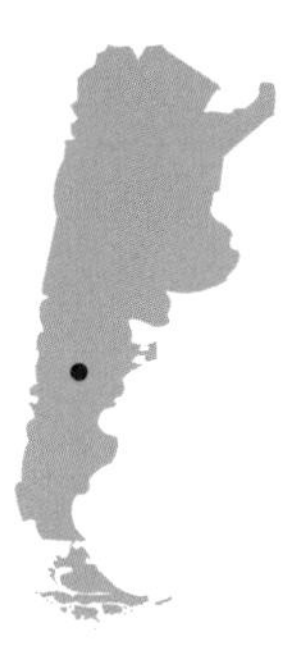

FUNDORT Taquetren Gebirge, Provinz Chubut, Patagonien.

Leonerasaurus ist ein neu entdeckter, mittelgroßer Prosauropode (Vor-Langhalssaurier), der bisher nur durch ein einziges Exemplar belegt ist, das aus einem Unterkiefer, zahlreichen Wirbelkörpern und etwa 50 % aller Beinknochen besteht. Obwohl viele Teile des Skeletts denen anderer primitiver Prosauropoden, wie *Adeopapposaurus*, ähneln, lassen sich auch einige fortschrittliche Merkmale finden: So besaß er bereits vier miteinander verwachsene Kreuzbeinwirbel. Das sind die Knochen, an denen das Becken befestigt ist. Die ursprünglichen Vertreter besaßen dagegen nur drei oder zwei Kreuzbeinwirbel. Außerdem waren seine Vorderzähne breit und löffelförmig, wie die einiger Vertreter der echten Langhalssaurier (Sauropoden), und nicht blattförmig, wie die der ursprünglichen Prosauropoden. Neben diesen fortschrittlichen Merkmalen, die *Leonerasaurus* in einen engen Zusammenhang mit den Sauropoden bringen, verbindet ihn auch noch vieles mit den Prosauropoden – etwa die schlanken Beine und die niedrigen Wirbel.

Leonerasaurus wurde in den unterjurassischen Gesteinen der Provinz Chubut gefunden. Die gut erhaltenen Skelette bezeugen das häufige Vorkommen dieses am weitesten verbreiteteten Pflanzenfressers der späten Trias und des frühen Juras.

PIATNITZKYSAURUS FLORESI

BEDEUTUNG DES NAMENS „Piatnitzky's Echse". Benannt nach den beiden Geologen Piatnitzky und Flores.

ZEITEPOCHE Mittlerer Jura, vor etwa 160 Millionen Jahren.

LÄNGE UND GEWICHT 5,50 m; 300 kg

ERNÄHRUNG Fleischfresser.

Die Ausgrabung des ersten *Piatnitzkysaurus* fand in den jurassischen Gesteinen der Provinz Chubut statt und wurde von Wissenschaftlern des Museo Argentino de Ciencias Naturales in Buenos Aires durchgeführt. Der Fund entpuppte sich als äußerst gut erhaltenes Exemplar, das wertvolle Informationen über Raubsaurier dieser Entwicklungsstufe liefern konnte.

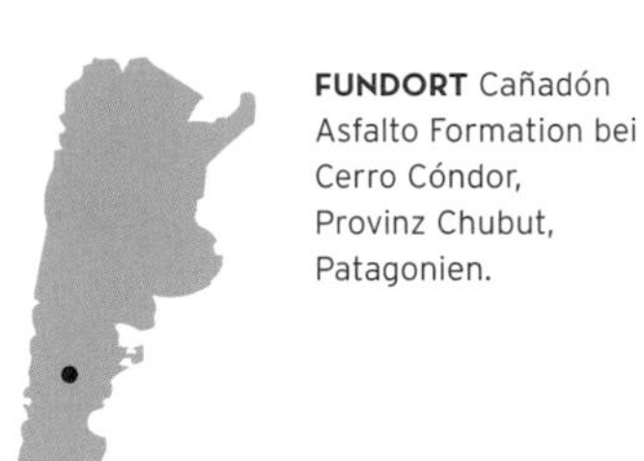

FUNDORT Cañadón Asfalto Formation bei Cerro Cóndor, Provinz Chubut, Patagonien.

Raubsaurier waren im Oberen Jura Patagoniens durch den schnellen und agilen *Piatnitzkysaurus* vertreten, der sich als typischer Fleischfresser auszeichnet.

In der Entwicklungsgeschichte der Raubsaurier (Theropoda) lassen sich schon vom Beginn des Jura bis zum Ende der Kreidezeit zwei getrennte Linien verfolgen, die der Ceratosaurier und die der Tetanurae, zu denen bekannte nordamerikanische Dinosaurier wie *Allosaurus* und *Tyrannosaurus* zählen. *Piatnitzkysaurus* ist einer der ursprünglichsten Vertreter dieser Gruppe. Eng verwand mit ihm ist der ebenfalls aus Südamerika stammende *Condorraptor*. Beide erreichten zwar nicht die enorme Größe ihrer erdgeschichtlich später auftretenden Vettern, waren aber deutlich robuster als die schlanken Coelophysiden, die Raubsauriergruppe, die zeitlich vor ihnen in der Oberen Trias und im unteren Jura existierte. Körperlich war *Pianitzkysaurus* möglicherweise in der Lage, Langhalssaurier wie *Patagosaurus* zu jagen, die vielleicht in ersten Herden die mitteljurassischen Täler Patagoniens durchstreiften.

PATAGOSAURUS FARIASI

Die Kennzeichen der Sauropoden sind ein langer Hals mit kleinem Kopf, stumpfen Zähnen und ein ebenso langer Schwanz als Gegengewicht zum Hals. Sie besaßen riesige Eingeweide mit denen sie große Nahrungsmengen verdauen konnten.

BEDEUTUNG DES NAMENS „Patagonien-Echse". Der Artname *fariasi* wurde zu Ehren der Familie Farias vergeben, ortsansässige Siedler, die bei den paläontologischen Ausgrabungen im Gebiet um Cerro Cóndor halfen.

ZEITEPOCHE Mittlerer Jura, vor etwa 160 Millionen Jahren.

LÄNGE UND GEWICHT 18 m; 12.000 kg

ERNÄHRUNG Pflanzenfresser.

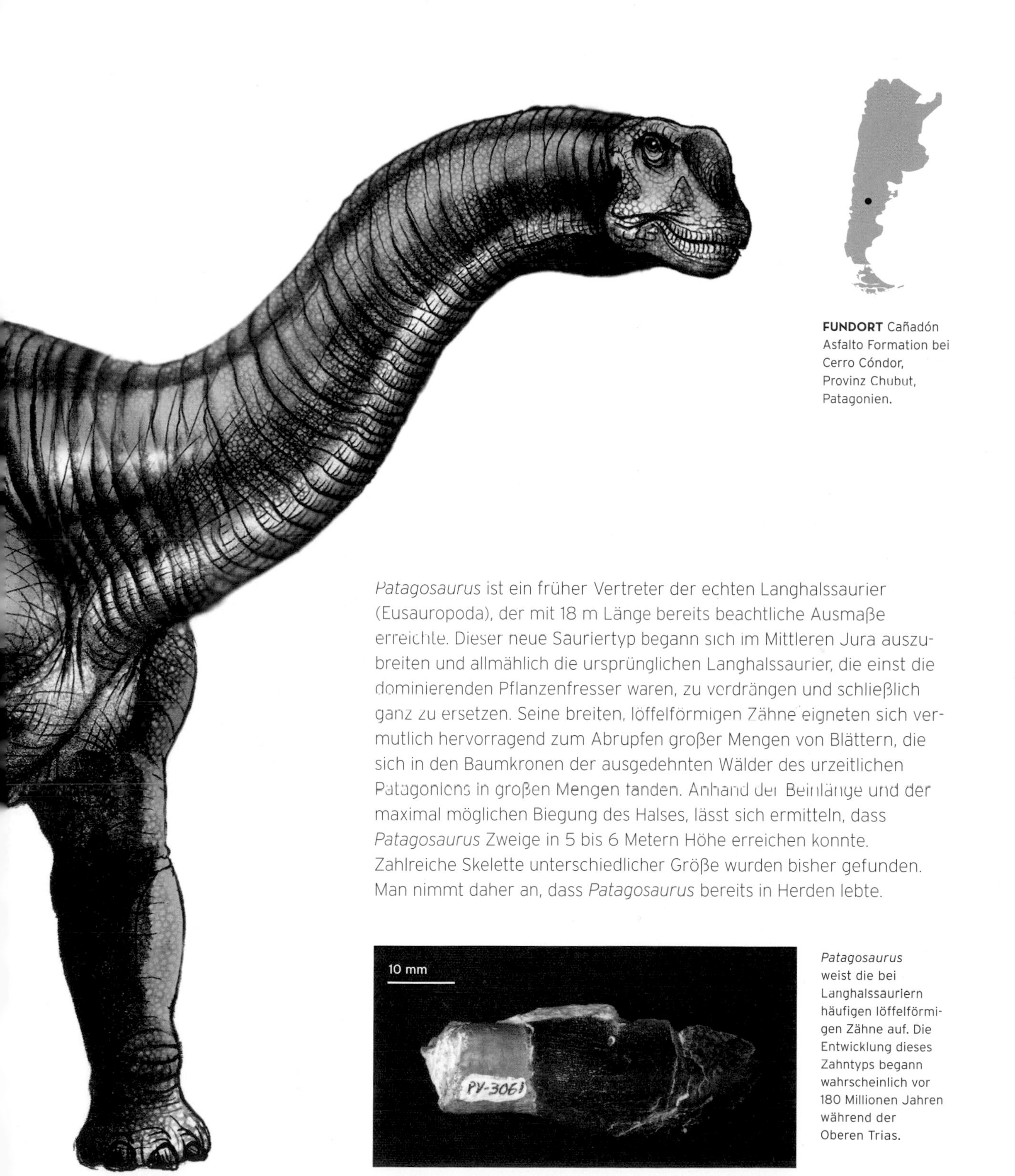

FUNDORT Cañadón Asfalto Formation bei Cerro Cóndor, Provinz Chubut, Patagonien.

Patagosaurus ist ein früher Vertreter der echten Langhalssaurier (Eusauropoda), der mit 18 m Länge bereits beachtliche Ausmaße erreichte. Dieser neue Sauriertyp begann sich im Mittleren Jura auszubreiten und allmählich die ursprünglichen Langhalssaurier, die einst die dominierenden Pflanzenfresser waren, zu verdrängen und schließlich ganz zu ersetzen. Seine breiten, löffelförmigen Zähne eigneten sich vermutlich hervorragend zum Abrupfen großer Mengen von Blättern, die sich in den Baumkronen der ausgedehnten Wälder des urzeitlichen Patagoniens in großen Mengen fanden. Anhand der Beinlänge und der maximal möglichen Biegung des Halses, lässt sich ermitteln, dass *Patagosaurus* Zweige in 5 bis 6 Metern Höhe erreichen konnte. Zahlreiche Skelette unterschiedlicher Größe wurden bisher gefunden. Man nimmt daher an, dass *Patagosaurus* bereits in Herden lebte.

Patagosaurus weist die bei Langhalssauriern häufigen löffelförmigen Zähne auf. Die Entwicklung dieses Zahntyps begann wahrscheinlich vor 180 Millionen Jahren während der Oberen Trias.

BRACHYTRACHELOPAN MESAI

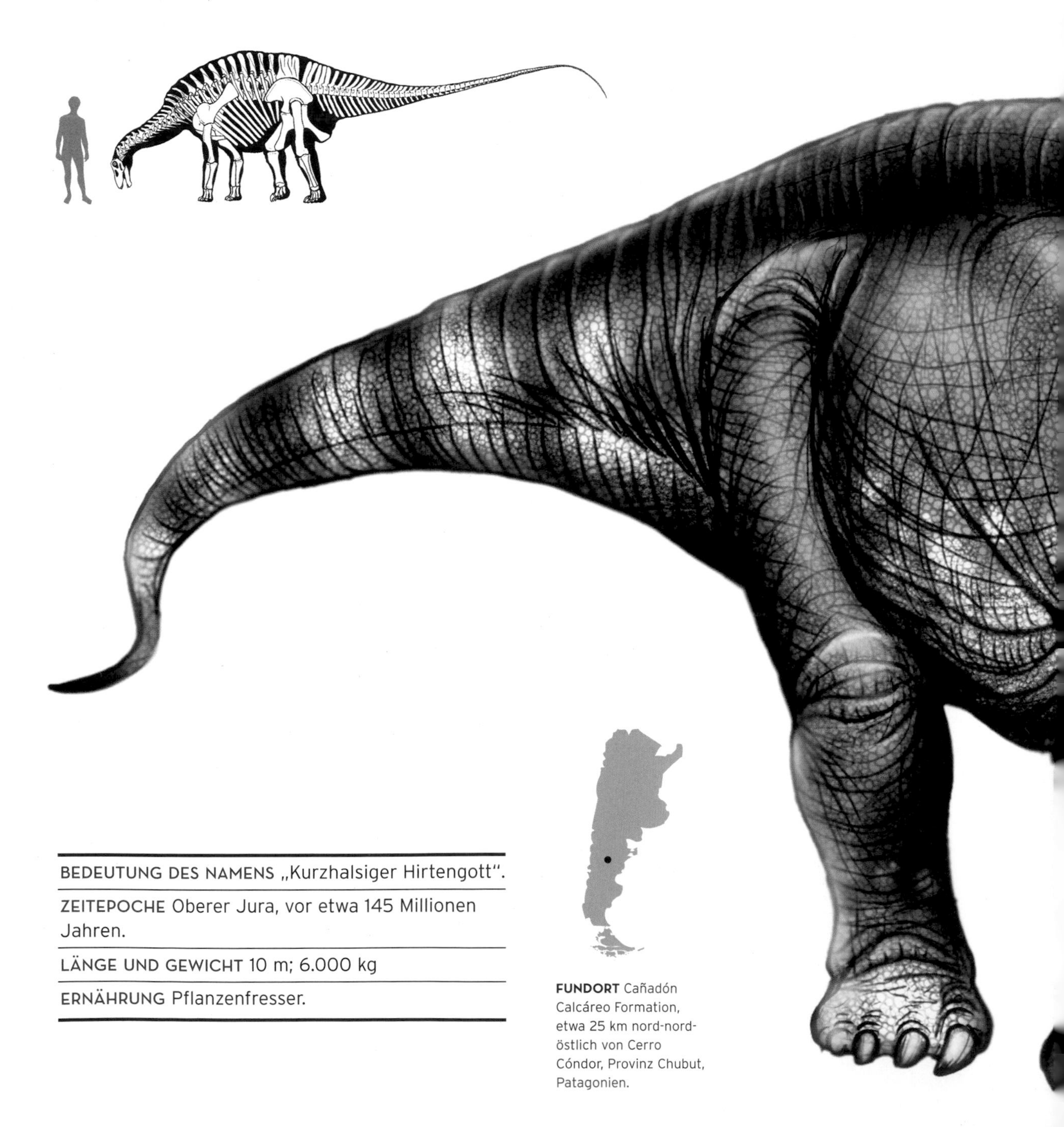

BEDEUTUNG DES NAMENS „Kurzhalsiger Hirtengott“.

ZEITEPOCHE Oberer Jura, vor etwa 145 Millionen Jahren.

LÄNGE UND GEWICHT 10 m; 6.000 kg

ERNÄHRUNG Pflanzenfresser.

FUNDORT Cañadón Calcáreo Formation, etwa 25 km nord-nord-östlich von Cerro Cóndor, Provinz Chubut, Patagonien.

Dieser Dinosaurier kann leicht an seinem für einen Langhalssaurier außergewöhnlich kurzen Hals erkannt werden. Wahrscheinlich fraß *Brachytrachelopan* die krautigen Pflanzen des Bodenbewuchses.

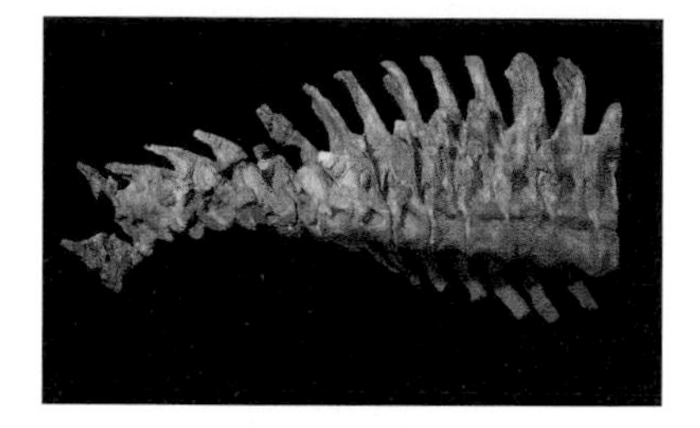

Eines der auffälligsten Merkmale an *Brachytrachelopan* ist der kurze Hals und die langen Dornfortsätze. Man fragt sich, warum sich bei einem Tier, das die evolutionäre Strategie der Größenzunahme verfolgt, gleichzeitig der Hals verkürzt.

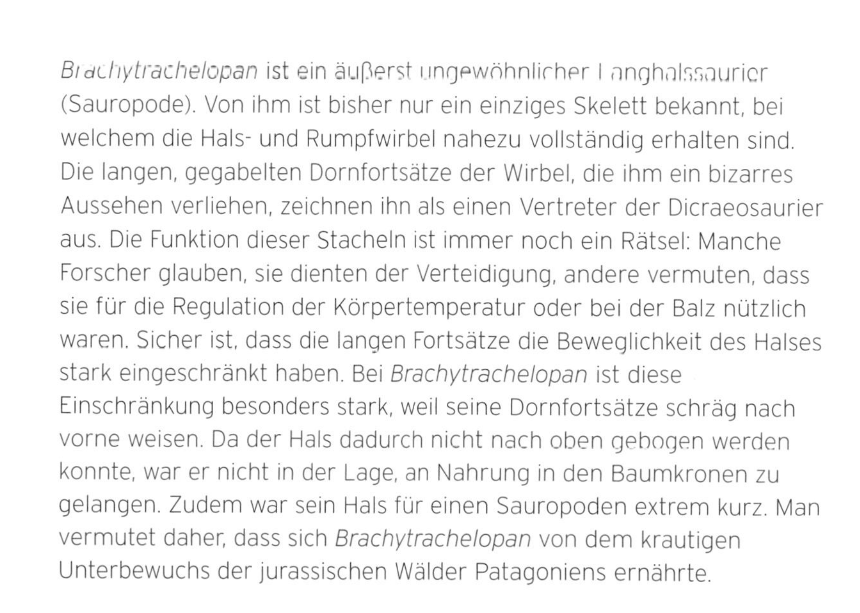

Brachytrachelopan ist ein äußerst ungewöhnlicher Langhalssaurier (Sauropode). Von ihm ist bisher nur ein einziges Skelett bekannt, bei welchem die Hals- und Rumpfwirbel nahezu vollständig erhalten sind. Die langen, gegabelten Dornfortsätze der Wirbel, die ihm ein bizarres Aussehen verliehen, zeichnen ihn als einen Vertreter der Dicraeosaurier aus. Die Funktion dieser Stacheln ist immer noch ein Rätsel: Manche Forscher glauben, sie dienten der Verteidigung, andere vermuten, dass sie für die Regulation der Körpertemperatur oder bei der Balz nützlich waren. Sicher ist, dass die langen Fortsätze die Beweglichkeit des Halses stark eingeschränkt haben. Bei *Brachytrachelopan* ist diese Einschränkung besonders stark, weil seine Dornfortsätze schräg nach vorne weisen. Da der Hals dadurch nicht nach oben gebogen werden konnte, war er nicht in der Lage, an Nahrung in den Baumkronen zu gelangen. Zudem war sein Hals für einen Sauropoden extrem kurz. Man vermutet daher, dass sich *Brachytrachelopan* von dem krautigen Unterbewuchs der jurassischen Wälder Patagoniens ernährte.

AMARGASAURUS CAZAUI

FUNDORT La Amarga Formation, Südlich von Zapala, Provinz Neuquén, Patagonien.

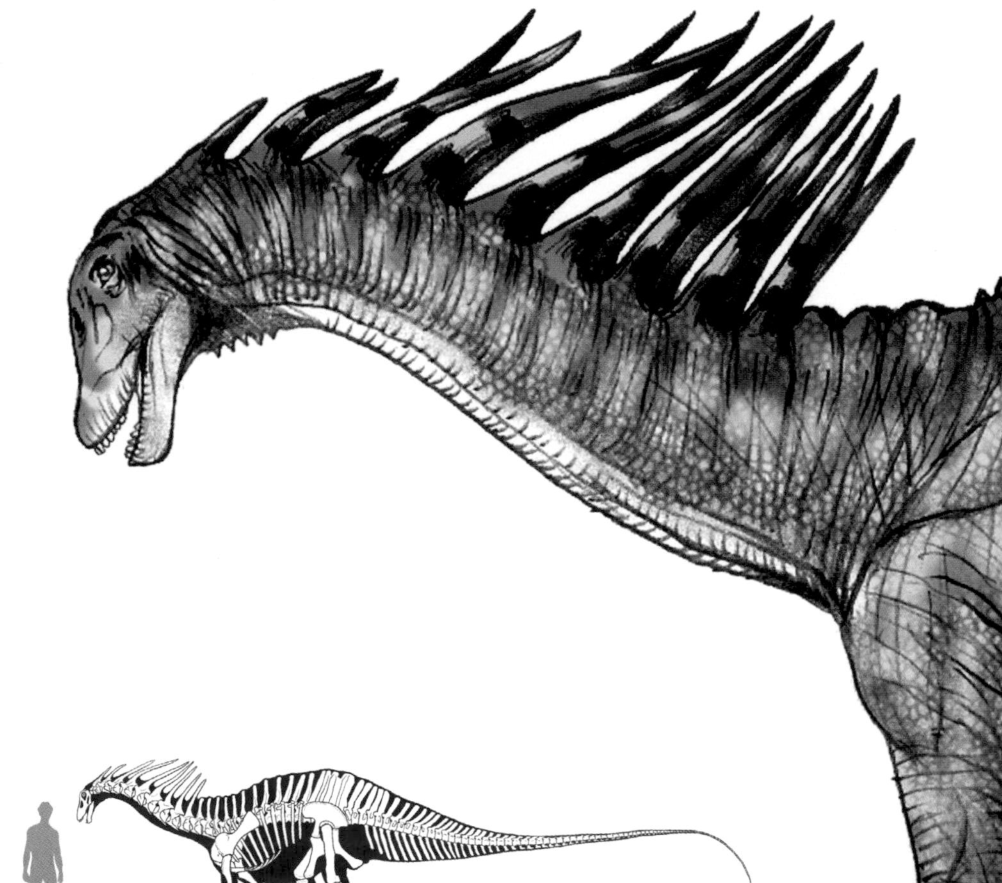

BEDEUTUNG DES NAMENS „Echse aus La Amarga".

ZEITEPOCHE Untere Kreide, vor etwa 125 Millionen Jahren.

LÄNGE UND GEWICHT 10 m; 5.000 kg

ERNÄHRUNG Pflanzenfresser.

Die Vielfalt der Langhalssaurier war während der Kreidezeit unglaublich groß. *Amargasaurus* war mit seinen verlängerten Dornfortsätzen zweifellos der Auffälligste.

Die Funktion der langen Dornfortsätze ist nach wie vor ein Rätsel. Dienten sie der Regulation der Körpertemperatur oder etwa der Balz? Diese Fragen können bisher noch nicht beantwortet werden.

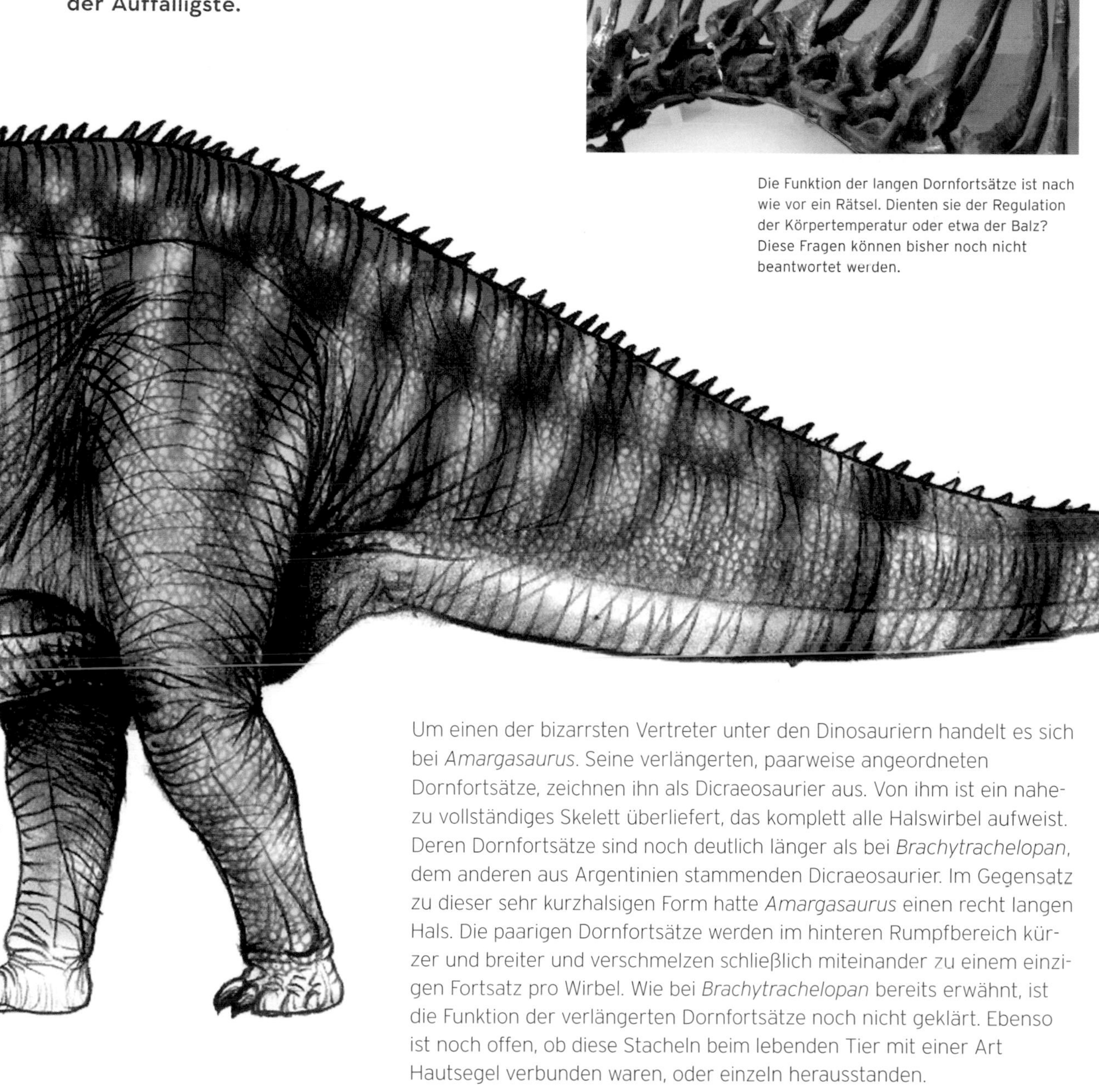

Um einen der bizarrsten Vertreter unter den Dinosauriern handelt es sich bei *Amargasaurus*. Seine verlängerten, paarweise angeordneten Dornfortsätze, zeichnen ihn als Dicraeosaurier aus. Von ihm ist ein nahezu vollständiges Skelett überliefert, das komplett alle Halswirbel aufweist. Deren Dornfortsätze sind noch deutlich länger als bei *Brachytrachelopan*, dem anderen aus Argentinien stammenden Dicraeosaurier. Im Gegensatz zu dieser sehr kurzhalsigen Form hatte *Amargasaurus* einen recht langen Hals. Die paarigen Dornfortsätze werden im hinteren Rumpfbereich kürzer und breiter und verschmelzen schließlich miteinander zu einem einzigen Fortsatz pro Wirbel. Wie bei *Brachytrachelopan* bereits erwähnt, ist die Funktion der verlängerten Dornfortsätze noch nicht geklärt. Ebenso ist noch offen, ob diese Stacheln beim lebenden Tier mit einer Art Hautsegel verbunden waren, oder einzeln herausstanden.

GIGANOTOSAURUS CAROLINII

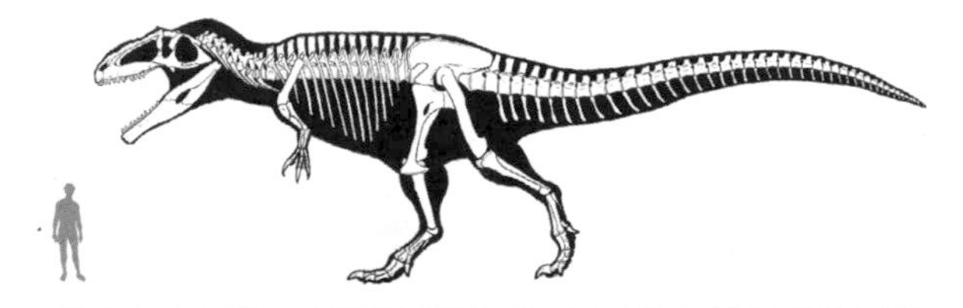

BEDEUTUNG DES NAMENS „Gigant des Südens".

ZEITEPOCHE Obere Kreide, vor etwa 95 Millionen Jahren.

LÄNGE UND GEWICHT 14 m; 7.000 kg

ERNÄHRUNG Fleischfresser.

Während der frühen Oberkreide durchstreiften große Raubsaurier (Theropoden) die Landschaften des urzeitlichen Patagoniens. Einer von ihnen war *Giganotosaurus*, der mit einer Körperlänge von bis zu 14 m zu den größten bekannten Raubsauriern der Welt zählt. Wie der etwa gleich große, ebenfalls aus Patagonien stammende *Mapusaurus*, gehört *Giganotosaurus* zur Gruppe der Carcharodontosaurier, die ausschließlich auf den Kontinenten der Südhalbkugel vorkamen. Sie besaßen bis zu 1,80 m lange, mächtige Schädel und trugen runzelige, niedrige Kämme auf ihren Schnauzen. Ein gut entwickeltes Riechzentrum belegt, dass sie vermutlich einen feinen Geruchssinn besaßen. Ihre langen, schmalen Zähne hatten scharfe, sägezahnartige Ränder, die sich hervorragend zum Töten ihrer Beute oder zum Aufschlitzen von Kadavern eigneten.

Der Name allein spricht schon für Kraft und Wildheit. Seit *Giganotosaurus* vor mehr als zehn Jahren entdeckt wurde, gilt er als Inbegriff für die Stärke der großen Raubsaurier.

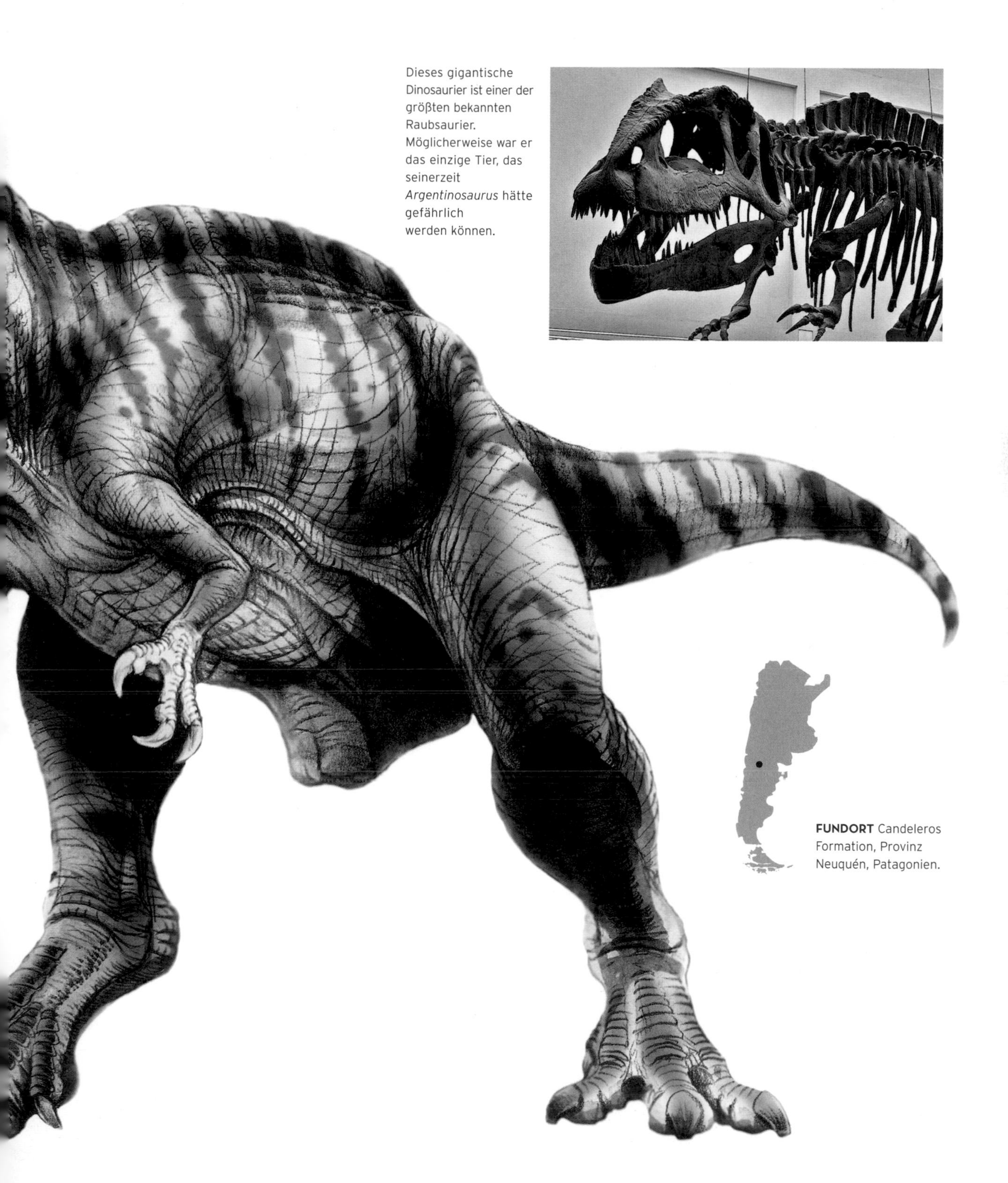

Dieses gigantische Dinosaurier ist einer der größten bekannten Raubsaurier. Möglicherweise war er das einzige Tier, das seinerzeit *Argentinosaurus* hätte gefährlich werden können.

FUNDORT Candeleros Formation, Provinz Neuquén, Patagonien.

ARGENTINOSAURUS HUINCULENSIS

Wenn man einmal über die Grenzen seiner Vorstellungskraft hinausgehen möchte, sollte man sich eine Herde 80 Tonnen schwerer Argentinosaurier vorstellen, die vor 70 Millionen Jahren friedlich nebeneinander in einem kreidezeitlichen Wald weideten.

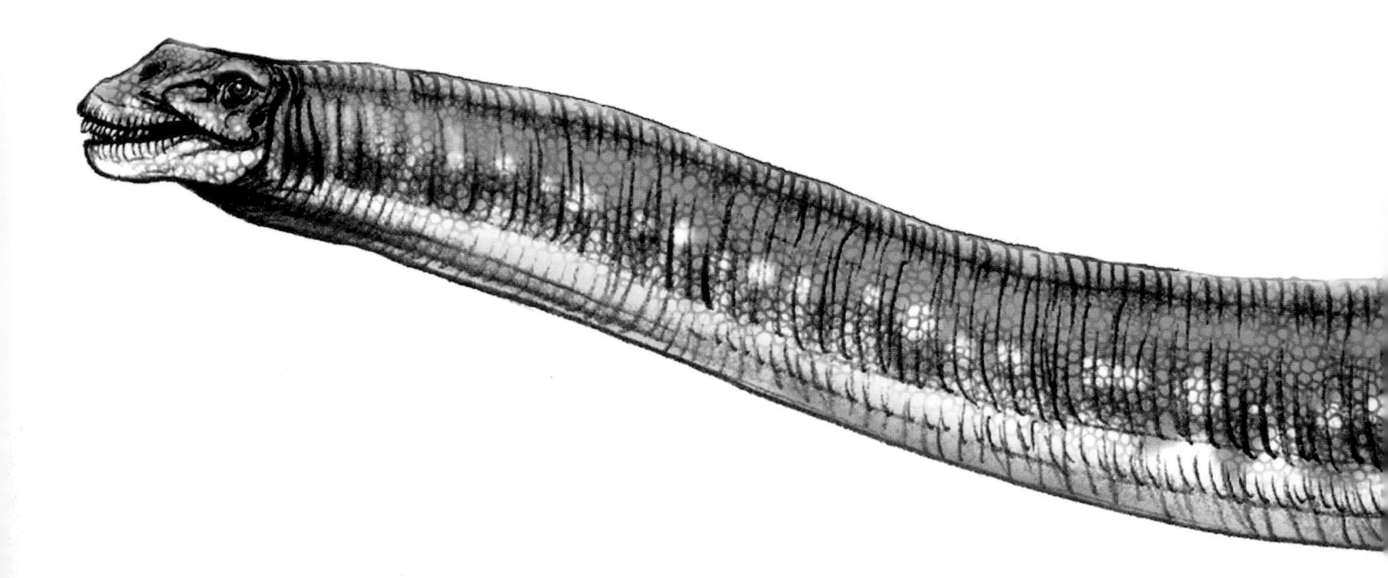

BEDEUTUNG DES NAMENS „Argentinien-Echse".

ZEITEPOCHE Obere Kreide, vor etwa 90 Millionen Jahren.

LÄNGE UND GEWICHT 38 m; 80.000 kg

ERNÄHRUNG Pflanzenfresser.

Der wahrscheinlich größte Langhalssaurier der Welt, *Argentinosaurus*, ist ein Vertreter aus der Gruppe der Titanosaurier, die in der Kreidezeit auf den Südkontinenten die häufigsten Pflanzen fressenden Dinosaurier waren. Von ihm wurden bisher nur einige Rumpfwirbel, Beinknochen, Rippenfragmente und das Kreuzbein gefunden. Diese sind allerdings gewaltig groß: Ein einziger Rumpfwirbel hat die unglaubliche Breite von 130 cm und das Schienbein ist etwa 150 cm lang. Berechnet man seine Gesamtgröße anhand vollständiger überlieferter Titanosaurier, kommt man auf eine Schulterhöhe von 8 m und eine Gesamtlänge von nahezu 40 m! Er war so groß, dass er bequem in ein Fenster im dritten oder vierten Stock eines Hauses hätte schauen können. Dies ist besonders bemerkenswert, weil Hals und Schwanz der Titanosaurier vergleichsweise kurz waren und somit der Körper unglaublich groß gewesen sein muss.

Gemessen an seiner Körpergröße war der Kopf des *Argentinosaurus* extrem klein. Wahrscheinlich hat dieser Dinosaurier ununterbrochen gefressen.

Bei der Einfahrt in die Stadt Plaza Huincul wird der Besucher von einem eisernen Gerüst begrüßt, das einen *Argentinosaurus* darstellt.

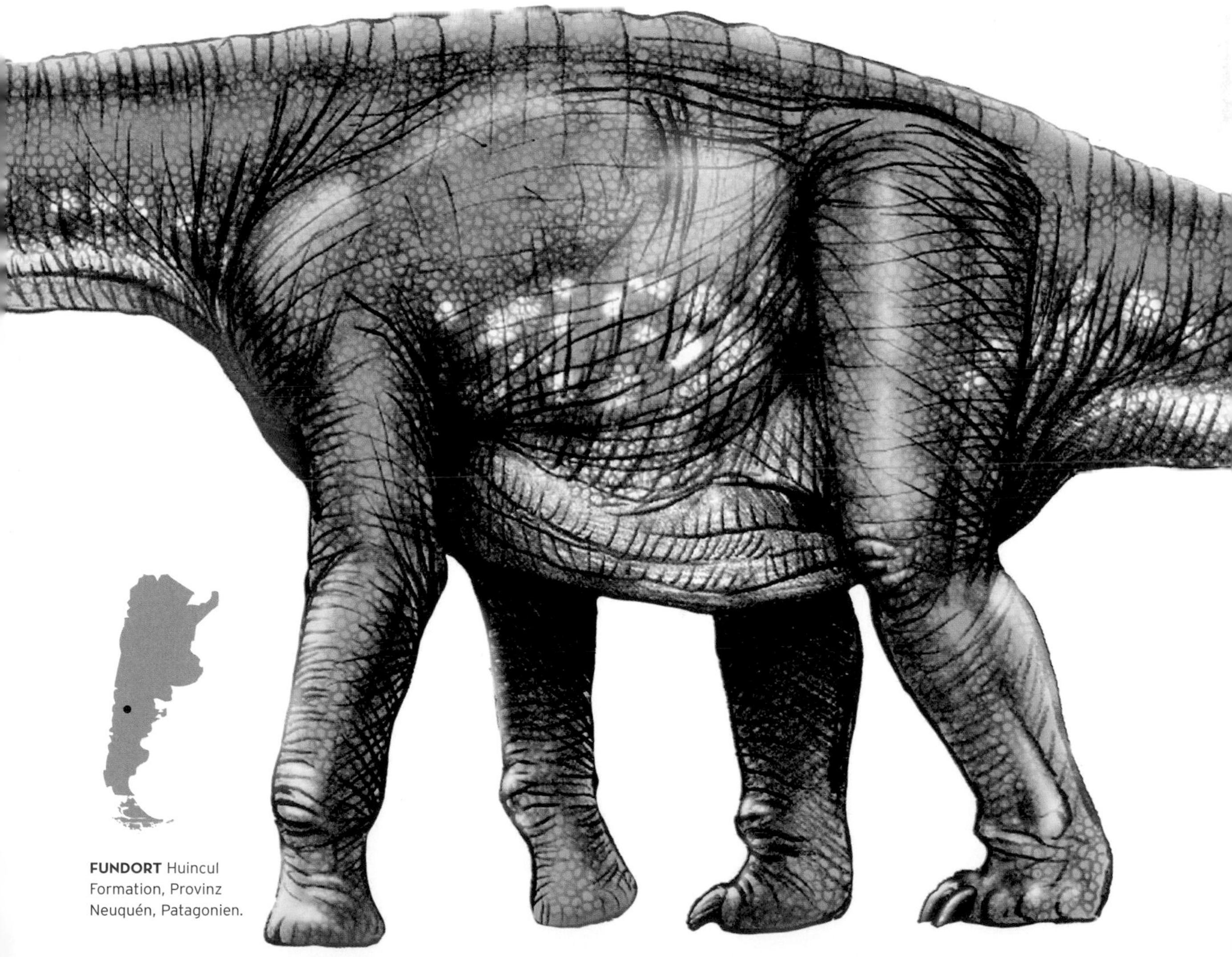

FUNDORT Huincul Formation, Provinz Neuquén, Patagonien.

UNENLAGIA COMAHUENSIS

BEDEUTUNG DES NAMENS „Halbvogel".

ZEITEPOCHE Obere Kreide, vor etwa 88 Millionen Jahren.

LÄNGE UND GEWICHT 2 m; 40 kg

ERNÄHRUNG Fleischfresser.

FUNDORT Portezuelo Formation, Provinz Neuquén, Patagonien.

Das vogelähnliche Erscheinungsbild der kleinen Raubsaurier wird am Beispiel von *Unenlagia* deutlich. Wahrscheinlich war zumindest bei einigen von ihnen der Körper mit Federn bedeckt.

Unenlagia ist ein Raubsaurier aus der Gruppe der Dromaeosaurier und ein enger Verwandter von *Austroraptor*. Wie dieser besitzt er eine lange Sichelkralle am Fuß. *Unenlagia* war leicht gebaut und glich in vielerlei Hinsicht ursprünglichen Vögeln. Vermutlich war sein Körper mit federartigen Strukturen bedeckt. Besonders vogelähnlich war der Schultergürtel: Er war so gebaut, dass er Bewegungen zuließ, wie sie nur von Vögeln beim Schlagen ihrer Flügel ausgeführt werden. Flugfähig war *Unenlagia* deshalb aber nicht. Dafür war das Tier zu groß und zu schwer. Man ist vielleicht geneigt *Unenlagia* in einen Zusammenhang mit dem Ursprung der Vögel zu bringen, doch dafür ist die Art zu jung, denn die ersten Vögel entstanden bereits 60 Millionen Jahre vor diesem Dinosaurier. Offenbar handelt es sich um eine Parallelentwicklung.

Die scharfen Sichelkrallen an den Füßen von *Unenlagia* waren gefährliche Waffen, ähnlich wie die Krallen an den Tatzen der heutigen Löwen und Tiger.

CARNOTAURUS SASTREI

BEDEUTUNG DES NAMENS „Fleischfressender Stier“.

ZEITEPOCHE Obere Kreide, vor etwa 70 Millionen Jahren.

LÄNGE UND GEWICHT 9 m; 1.600 kg

ERNÄHRUNG Fleischfresser.

Kurze Arme, kurze Schnauze und Hörner über den Augen: dies trifft auf keinen anderen Raubsaurier zu als *Carnotaurus*.

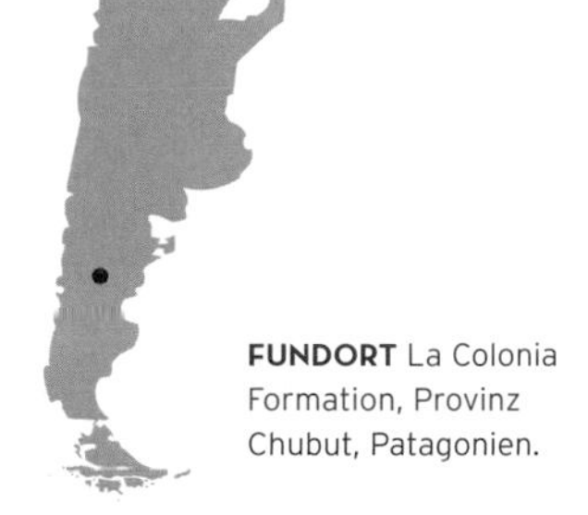

FUNDORT La Colonia Formation, Provinz Chubut, Patagonien.

Carnotaurus ist zweifellos einer der ungewöhnlichsten Raubsaurier (Theropoden). Besonders auffällig sind die Hörner über den Augen. Im Vergleich zu anderen Raubsauriern besaß er einen recht langen Hals und einen kurzen, hohen Schädel. Die Augen waren stark nach vorne gerichtet, wodurch er seine Beute während der Verfolgung besser fixieren konnte. An den Händen trug er vier kurze Finger, und seine Arme waren geradezu winzig. Die großen Schulterblätter lassen vermuten, dass sie dennoch kräftig waren. *Carnotaurus* ist durch ein fast vollständiges Skelett überliefert, das sogar Abdrücke der Haut aufweist. Neben typischen Reptilienschuppen finden sich am Schwanz in Reihen angeordnete Hornzapfen, die zum Rücken hin größer werden. Unter den Abelisauriern, zu denen *Carnotaurus* zählt, war er einer der größten Vertreter.

Kein anderes Raubtier im Tierreich, ob ausgestorben oder noch lebend, besitzt Hörner am Kopf. Warum entwickelte *Carnotaurus* solche Höner? Manche Wissenschaftler glauben, dass sie vielleicht gegenüber Artgenossen im Zusammenhang mit Revierverhalten eingesetzt wurden, wie bei heutigen Antilopen und Hirschen.

KRITOSAURUS AUSTRALIS

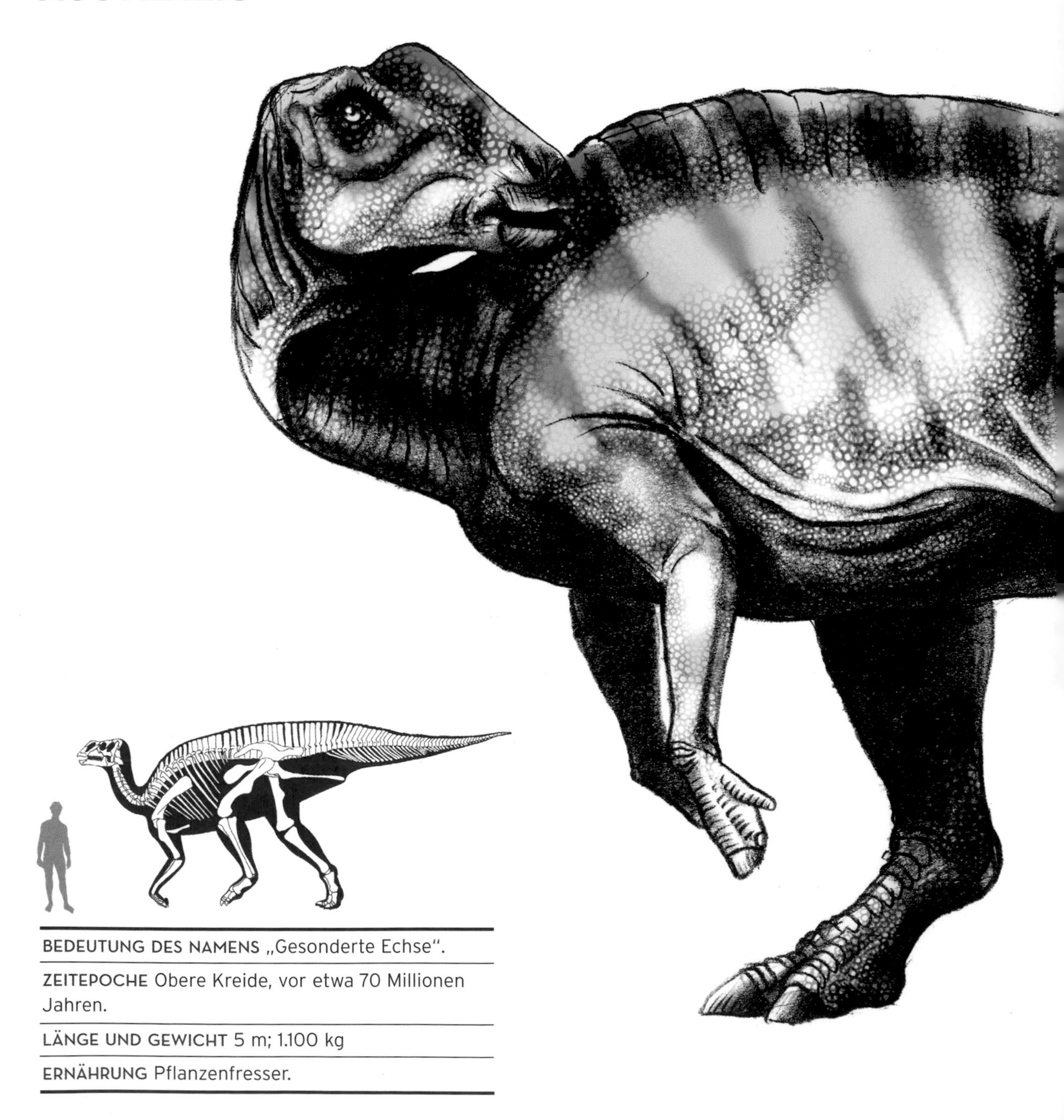

BEDEUTUNG DES NAMENS „Gesonderte Echse“.
ZEITEPOCHE Obere Kreide, vor etwa 70 Millionen Jahren.
LÄNGE UND GEWICHT 5 m; 1.100 kg
ERNÄHRUNG Pflanzenfresser.

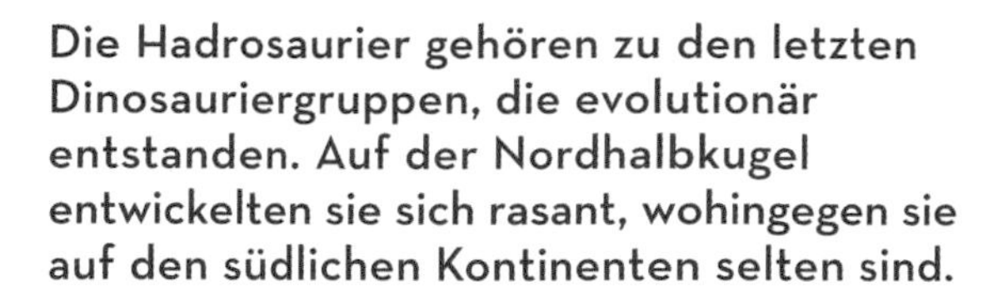

Die Hadrosaurier gehören zu den letzten Dinosauriergruppen, die evolutionär entstanden. Auf der Nordhalbkugel entwickelten sie sich rasant, wohingegen sie auf den südlichen Kontinenten selten sind.

FUNDORT Los Alamitos Formation, Provinz Rio Negro, Patagonien.

Kritosaurus ist ein Dinosaurier aus der Gruppe der Entenschnabelsaurier. Vertreter aus diesem Kreis sind in Nordamerika sehr häufig, in Südamerika jedoch extrem selten. Bevor *Kritosaurus australis*, der „südliche *Kritosaurus*", entdeckt wurde, kannte man nur die nordamerikanischen *Kritosaurus*-Arten. Ursprünglich glaubte man, dass die südliche Art von aus dem Norden eingewanderten Tieren abstammt. Nach neueren Untersuchungen scheinen die beiden Arten jedoch weniger eng miteinander verwandt zu sein, als zunächst vermutet. Trotzdem werden die Funde der Entenschnabelsaurier in Patagonien als Beleg für eine Landverbindung zwischen Nord- und Südamerika während der Oberkreide angesehen. Wie alle Entenschnabelsaurier besaß *Kritosaurus* ein Gebiss, mit dem er seine Pflanzennahrung effektiv klein raspeln konnte.

Kritosaurus gehört zu den Entenschnabeldinosauriern, die in Nordamerika sehr weit verbreitet waren. In Südamerika kommen sie zwar auch vor, aber bei weitem nicht so häufig wie im Norden.

TALENKAUEN SANTACRUCENSIS

In den kreidezeitlichen Ablagerungen der kalten Wüstengebiete Südpatagoniens finden sich bedeutende Zeugnisse aus der Zeit vor 80 Millionen Jahren, als das Aussterben der Dinosaurier kurz bevorstand.

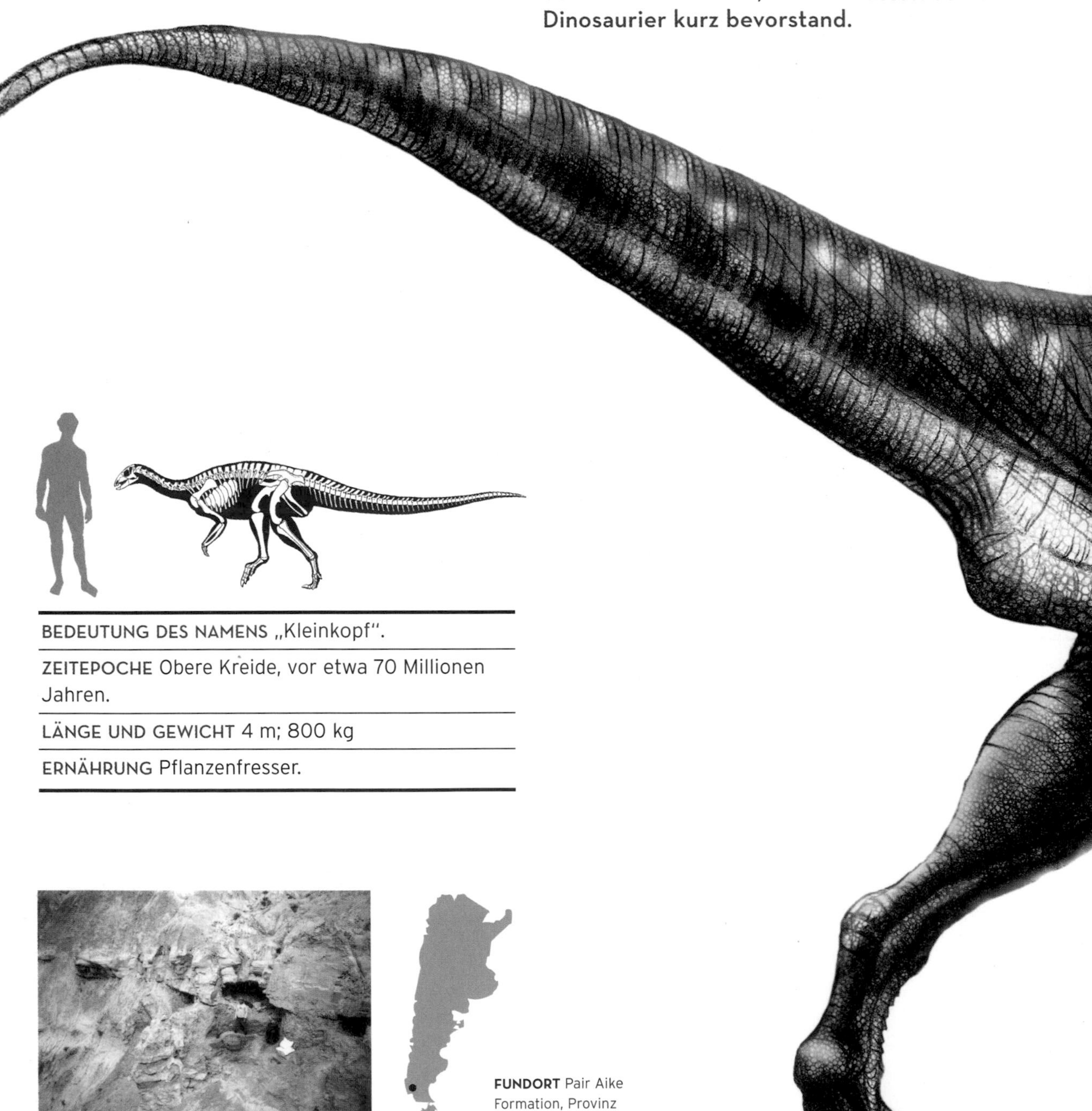

BEDEUTUNG DES NAMENS „Kleinkopf".

ZEITEPOCHE Obere Kreide, vor etwa 70 Millionen Jahren.

LÄNGE UND GEWICHT 4 m; 800 kg

ERNÄHRUNG Pflanzenfresser.

FUNDORT Pair Aike Formation, Provinz Santa Cruz, Patagonien.

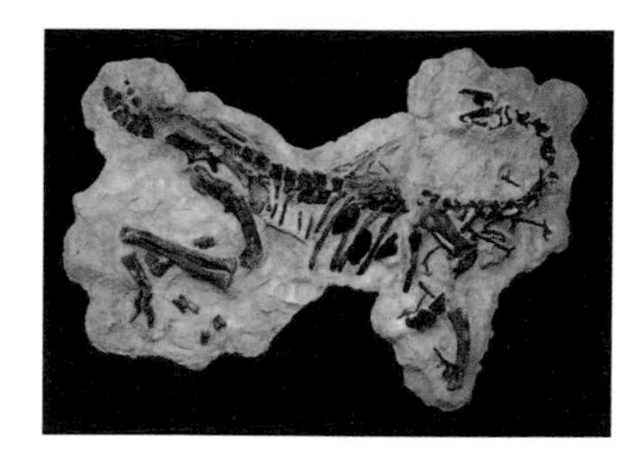

Das erste und einzige Skelett von *Talenkauen* ist in einer Gesteinspalte überliefert.

Neben den Langhalssauriern gab es in der späten Oberkreide Argentiniens auch andere Pflanzen fressende Dinosaurier, die zu den Vogelbeckendinosauriern zählen. Unter diesen sind vor allem die sogenannten Vogelfußsaurier (Ornithopoden) zu nennen, die vom Beginn der Oberkreide bis zu deren Ende in Patagonien präsent waren. *Talenkauen* ist ein erst kürzlich entdeckter Vertreter dieser Gruppe, der sich durch eine Besonderheit an seinem Skelett auszeichnet, denn entlang seiner Rippen befinden sich merkwürdige dünne Knochenplatten. Man vermutet, dass daran Muskeln ansetzten, die den Atemmechanismus unterstützen. Möglicherweise hatten auch die anderen Ornithopoden solche Platten, die aber wegen ihrer Feinheit nicht erhalten geblieben sind, oder nicht verknöchert waren. *Talenkauen* lebte zeitgleich mit dem riesigen *Puertasaurus*.

Talenkauen ist ein Vogelbeckendinosaurier, der in den kreidezeitlichen Ablagerungen der Pari Aike Formation in der Provinz Santa Cruz gefunden wurde.

AUSTRORAPTOR CABAZAI

BEDEUTUNG DES NAMENS „Jäger des Südens".

ZEITEPOCHE Obere Kreide, vor etwa 70 Millionen Jahren.

LÄNGE UND GEWICHT 5 m; 200 kg

ERNÄHRUNG Fleischfresser.

Das Fossil wurde in den wüstenartigen Ödlandregionen der Provinz Río Negro in Ablagerungen der Oberkreide entdeckt.

Auch bei *Austroraptor* handelt es sich um eine Neuheit für die Paläontologie. Dieser Raubsaurier wurde gerade erst wissenschaftlich beschrieben. Wie man an seiner Sichelkralle leicht erkennen kann, gehört er zur Gruppe der Dromaeosaurier, zu denen bekannte Vertreter der Nordhalbkugel zählen, wie *Velociraptor* und *Deinonychus*. Diese waren - wie die meisten ihrer Vettern - für einen Raubsaurier nicht besonders groß. Dagegen war *Austroraptor* mit einer Körperlänge von 5 m ein wahrer Gigant. Er ist mit Abstand der größte Raptor der Südhalbkugel und gehört zu den größten der ganzen Welt. Seine Arme waren vergleichsweise kurz: So hatte der Oberarmknochen nicht einmal die halbe Länge des Oberschenkelknochens. Der 80 cm messende Schädel war flach und länger gestreckt als bei anderen Dromaeosauriern. Sein Körper war vermutlich mit federartigen Strukturen bedeckt. *Austroraptor* wird in ein enges Verwandtschaftsverhältnis zu dem vogelähnlichen Dromaeosaurier *Unenlagia* gestellt.

Das Skelett von *Austroraptor* zeigt eine Besonderheit des Beckens. Das Schambein weist nach hinten und liegt wie bei Vögeln dem Sitzbein an. Diese Ausrichtung hat sich unter den Dinosauriern mehrmals voneinander unabhängig entwickelt.

FUNDORT Allen Formation, Provinz Rio Negro, Patagonien.

SARMIENTICHNUS SCAGLIAI

ZEITEPOCHE Mittlerer Jura, vor 160 Millionen Jahren.

FÄHRTENLÄNGE 30 cm.

ERNÄHRUNG Fleischfresser.

FUNDORT La Matilde Formation, Provinz Santa Cruz, Patagonien.

Von Dinosauriern sind nicht nur Knochen überliefert, sie haben auch häufig Spuren in Form von Fußabdrücken hinterlassen. Man findet sie weltweit in unterschiedlichen Größen, nicht selten sogar ganze Fährten. Im Fall von *Sarmientichnus scagliai* handelt es sich sehr wahrscheinlich um die Fußabdrücke eines kleinen Raubsauriers, möglicherweise aus der Gruppe der leicht gebauten Coelurosaurier. Der Abdruck der mittleren Zehe zeigt, dass über sie die Antriebskraft auf den Boden übertragen wurde. Dies ist typisch für schnelle Läufer.

ARGYROSAURUS SUPERBUS

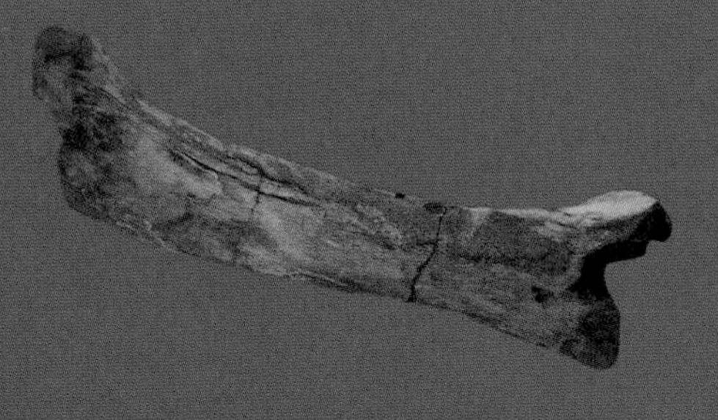

BEDEUTUNG DES NAMENS „Silberechse".

ZEITEPOCHE Obere Kreide, vor etwa 95 Millionen Jahren.

LÄNGE UND GEWICHT 25 bis 30 m; 40.000 kg.

ERNÄHRUNG Pflanzenfresser.

FUNDORT Bajo Barreal Formation, Provinz Neuquén, Patagonien.

Argyrosaurus wurde bereits 1893 von dem britischen Paläontologen Richard Lydekker auf der Grundlage von Überresten eines Vorderbeins als Art benannt. Tatsächlich ist *Argyrosaurus* der erste Dinosaurier Argentinens der wissenschaftlich beschrieben wurde. Den Fund verdanken wir dem argentinischen Naturforscher Carlos Ameghino, der es sich zur Lebensaufgabe gemacht hatte, die Geologie und die Fossilien Argentiniens zu erforschen. *Argyrosaurus* ist ein riesiger Langhalssaurier (Sauropode) aus der Gruppe der Titanosaurier, zu denen auch *Argentinosaurus* zählt.

PATAGONYKUS PUERTAI

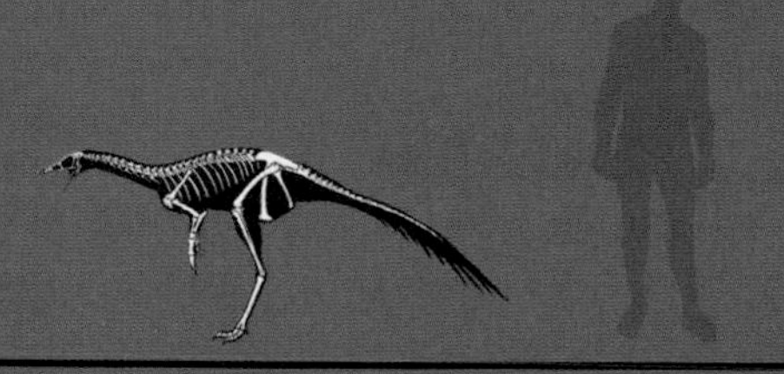

BEDEUTUNG DES NAMENS „Patagonien-Kralle".

ZEITEPOCHE Obere Kreide, vor etwa 90 Millionen Jahren.

LÄNGE UND GEWICHT 2 m; 40 kg.

ERNÄHRUNG Kleintier- bzw. Insektenfresser.

FUNDORT Rio Neuquén Formation, Provinz Neuquén, Patagonien.

Besonders auffällig an *Patagonycus* sind seine stark verkürzten Arme, an denen jeweils eine einzelne dornartige Kralle saß, deren Funktion bisher noch unklar ist. Seine langen Hinterbeine lassen auf einen schnellen Läufer schließen. Unter den von *Patagonycus* überlieferten Fossilien fand sich bisher noch kein Schädel. Anhand des am nächsten mit ihm verwandten *Mononykus*, der einen kleinen Schädel mit kleinen, spitzen Zähnen aufweist, lässt sich schließen, dass sich *Patagonycus* wie dieser von Insekten und anderen Kleintieren ernährte.

SAUROPODEN-NEST

ZEITEPOCHE Obere Kreide, vor etwa 88 Millionen Jahren.

EI-LÄNGE 12 bis 15 cm.

ERNÄHRUNG Pflanzenfresser.

FUNDORT Portezuelo Formation, Provinz Neuquén, Patagonien.

Dinosaurier legten kalkschalige Eier. Ihre Überreste finden sich in großer Anzahl weltweit in Form von Schalenbruchstücken. Seltener sind ganze Eier überliefert, noch seltener ganze Gelege und am seltensten sind versteinerte Eier, die Embryonen enthalten. Die Fundstelle Auca Mahuevo in Neuquén ist in dieser Hinsicht ein Dorado der Paläontologie. Hier finden sich auf einer Fläche von etwa einem Quadratkilometer tausende Eier, darunter ganze Gelege mit 15 bis 30 Eiern, die zum Teil Skelette von Dinosaurierküken enthalten, die sich eindeutig als Sauropden identifizieren lassen.

NEUQUENSAURUS AUSTRALIS

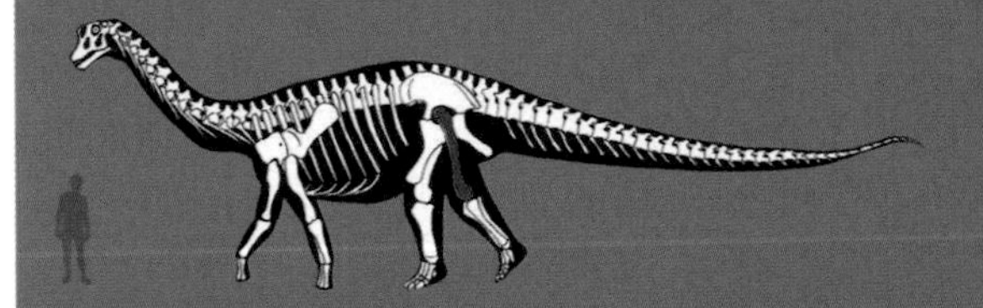

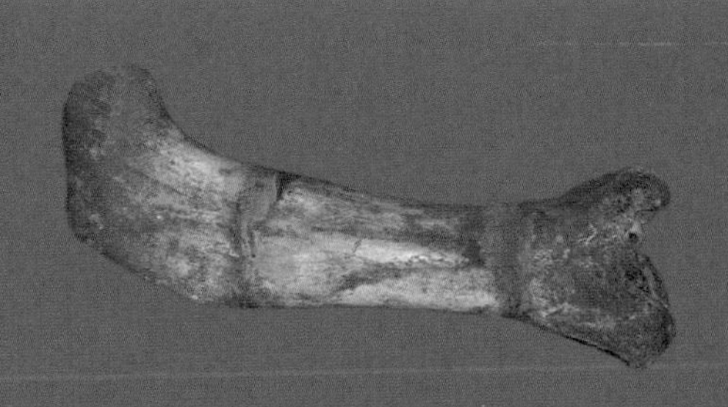

BEDEUTUNG DES NAMENS „Neuquén-Echse".

ZEITEPOCHE Obere Kreide, vor etwa 85 Millionen Jahren.

LÄNGE UND GEWICHT 15 m; 9.000 kg.

ERNÄHRUNG Pflanzenfresser.

FUNDORT Bajo La Carpa Formation, Provinz Neuquén, Patagonien

Obwohl es unter den Titanosauriern wahre Giganten wie *Argentinosaurus*, *Puertasaurus* und *Argyrosaurus* gab, waren die weitaus meisten von ihnen deutlich kleiner. Zu diesen gehörte auch *Neuquensaurus*. Unter den erhaltenen Skelettresten fanden sich bei ihm auch runde Knochenplatten. Es handelt sich dabei vermutlich um Hautverknöcherungen, die den Rücken bedeckten. Versteinerte Fährten lassen darauf schließen, dass *Neuquensaurus* wie viele andere Langhalssaurier (Sauropoden) in Herden lebte.

PUERTASAURUS REUILI

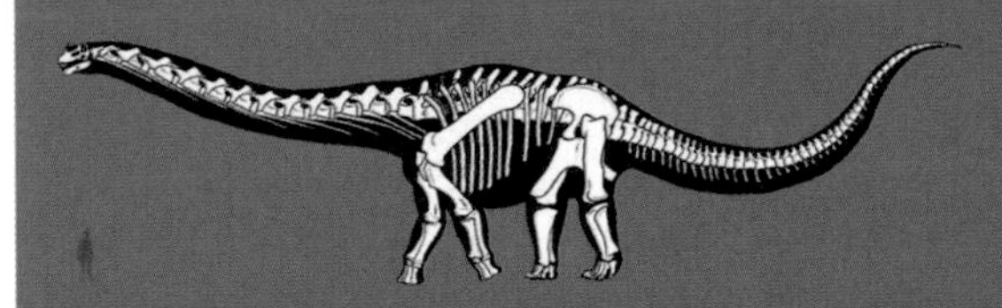

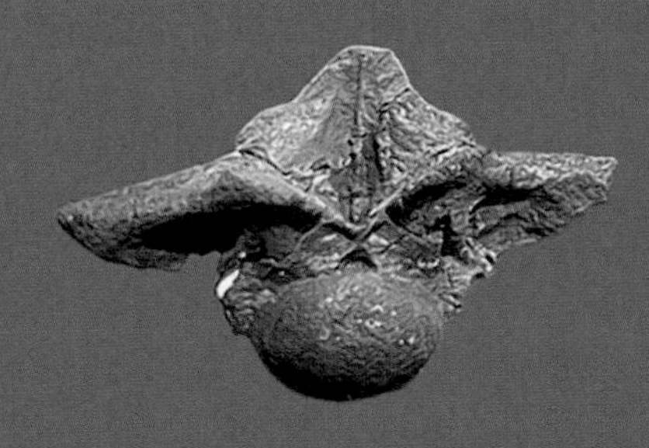

BEDEUTUNG DES NAMENS „Puerta's Echse".

ZEITEPOCHE Obere Kreide, vor etwa 70 Millionen Jahren.

LÄNGE UND GEWICHT 40 m; 80.000 kg.

ERNÄHRUNG Pflanzenfresser.

FUNDORT Pari Aike Formation, Provinz Santa Cruz, Patagonien.

Puertasaurus gehört zweifellos zu den größten Dinosauriern, die je gefunden wurden. Ein einziger Rückenwirbel besitzt bereits die unglaublichen Ausmaße von 1,68 m Breite. Damit hält er den Weltrekord unter den Dinosauriern. Wie *Argentinosaurus* zählt *Puertasaurus* zu den Titanosauriern. Welcher von beiden nun der Größte war, lässt sich nur schwer einschätzen, weil beide nur sehr unvollständig überliefert sind. Der Dinosaurier mit dem breitesten Wirbel muss nicht zwangsläufig auch der Schwerste gewesen sein.

DIESE UND NACHFOLGENDE DOPPELSEITE *Herrerasaurus*, einer der ältesten Dinosaurier, der schon Merkmale der späteren Raubsaurier zeigt; etwa 228 Millionen Jahre alt. Kopfrekonstruktion und Museums-Diorama.

GigaSaurier
DIE RIESEN ARGENTINIENS